D0444945

Jakob Wassermann, Sohn eines jüdischen Kaufmanns aus Fürth, war schon zu Lebzeiten einer der erfolgreichsten Schriftsteller. Aber zeit seines Lebens litt er an dem Gedanken, daß sein Versuch gescheitert war, als deutscher Jude mit den Deutschen leben zu können. Selbst der ersehnte und endlich erlangte Ruhm machte ihn mißtrauisch. Was nützte es, wenn die deutschen Leser zwar dem Romancier Wassermann die Treue hielten, als deutsche Bürger aber Hitler in die Arme liefen? Es sieht fast so aus, als hätte Wassermann, indem er starb, sich einer schrecklichen Zukunft entzogen.

Jakob Wassermann, wurde am 10. März 1873 in Fürth geboren und starb am 1. Januar 1934 in Altaussee in der Steiermark. Der gelernte Kaufmann wurde später freier Schriftsteller und arbeitete auch als Redakteur beim ›Simplicissimus‹. Mit seinen spannenden, psychologisch realistischen Romanen und Novellen hatte er eine breite internationale Wirkung. Werke u. a.: ›Caspar Hauser oder Die Trägheit des Herzens‹ (1908), ›Laudin und die Seinen‹ (1925), ›Der Fall Maurizius‹ (1928), ›Etzel Andergast‹ (1931), ›Joseph Kerkhovens dritte Existenz‹ (1934), Romane; ›Christoph Columbus‹ (1928), Biographie.

Jakob Wassermann

Mein Weg als Deutscher und Jude

Deutscher Taschenbuch Verlag

Von Jakob Wassermann
sind im Deutschen Taschenbuch Verlag erschienen:
Caspar Hauser (10192)
Laudin und die Seinen (10767)
Der Fall Maurizius (10839)
Etzel Andergast (10945)
Joseph Kerkhovens dritte Existenz (10995)
Der Aufruhr um den Junker Ernst (12080)
Die Juden von Zirndorf (12163)
Christian Wahnschaffe (12371)

Ungekürzte Ausgabe
Mai 1994
2. Auflage Juli 1999
Deutscher Taschenbuch Verlag GmbH & Co. KG,
München
Mit freundlicher Genehmigung der F. A. Herbig
Verlagsbuchhandlung GmbH, München

Erstveröffentlichung: S. Fischer Verlag, Berlin 1921
Umschlagkonzept: Balk & Brumshagen
Umschlagfoto: © Keystone Pressedienst
Gesamtherstellung: C. H. Beck'sche Buchdruckerei,
Nördlingen
Gedruckt auf säurefreiem, chlorfrei gebleichtem Papier
Printed in Germany · ISBN 3-423-11867-9

Ferruccio Busoni
dem Freund
dem Künstler
gewidmet

... vis animae conturbatur et divisa seorsum disiectatur, eodem illi distracta veneno.

Lucrez, III.498.

Ohne Rücksicht auf die Gewöhnung meines Geistes, sich in Bildern und Figuren zu bewegen, will ich mir – gedrängt von innerer Not der Zeit – Rechenschaft ablegen über den problematischsten Teil meines Lebens, den, der mein Judentum und meine Existenz als Jude betrifft, nicht als Jude schlechthin, sondern als deutscher Jude, zwei Begriffe, die auch dem Unbefangenen Ausblick auf Fülle von Mißverständnissen, Tragik, Widersprüchen, Hader und Leiden eröffnen.

Heikel war das Thema stets, ob es nun mit Scham, mit Freiheit oder Herausforderung behandelt wurde, schönfärbend von der einen, gehässig von der anderen Seite. Heute ist es ein Brandherd.

Es verlangt mich, Anschauung zu geben. Da darf denn nichts mehr gelten, was mir schon einmal als bewiesen gegolten hat. Auf Beweis und Verteidigung verzichte ich somit überhaupt, auf Anklage und jede Art konstruktiver Beredsamkeit. Ich stütze mich auf das Erlebnis.

Unabweisbar trieb es mich, Klarheit zu gewinnen über das Wesen jener Disharmonie, die durch mein ganzes Tun und Sein zieht und mir mit den Jahren immer schmerzlicher fühlbar und bewußt worden ist. Der unreife Mensch ist gewissen Verwirrungen viel weniger ausgesetzt als der reife. Dieser, sofern er an eine Sache hingegeben ist oder an eine Idee, was im Grunde dasselbe besagt, entringt sich nach und nach der Besessenheit, in der das Ich den Zauber des Unbedingten hat, und Welt und Menschheit kraft einer angenehmen und halbfreiwilligen Täuschung dem gebundenen Willen in den Transformationen der Leidenschaft zu dienen scheinen. In dem Maße, in dem die eigene Person aufhört, Wunder und Zweck zu sein, bis sie zuletzt ein kaum gespürtes Zwischenelement wird, gleichsam Schatten eines Körpers, den man nicht kennt, noch erkennen kann, in dem Maße wächst die

Schwierigkeit und Gefährlichkeit des Lebens mit und unter den Menschen, sowie der geheimnisvolle Charakter alles dessen, was man Realität und Erfahrung nennt.

Weg- und Werkzeichen bleiben letzten Endes wenige, auch bei der genialsten Rezeption. Es hängt von der Breite des Schicksals ab, wieviel unvergeß- und unverwischbare Spuren es in der Seele hinterläßt.

I

Ich bin in Fürth geboren und aufgewachsen, einer vorwiegend protestantischen Fabrikstadt des mittleren Franken, in der es eine zahlreiche Gemeinde gewerbs- und handelstreibender Juden gab. Das Verhältnis der Zahl der Juden zur übrigen Bevölkerung war etwa 1 : 12.

Der Überlieferung nach ist es eine der ältesten Judengemeinden Deutschlands. Schon im neunten Jahrhundert sollen dort jüdische Siedlungen bestanden haben. Vermehrung und Blüte trat wahrscheinlich erst zu Ende des fünfzehnten Jahrhunderts ein, als die Juden aus dem benachbarten Nürnberg vertrieben wurden. Später wendete sich vom Rhein her ein Flüchtlingsstrom der aus Spanien verjagten Juden nach Franken, und unter ihnen vermute ich meine Vorfahren mütterlicherseits, die im Maintal in der Nähe von Würzburg seit Jahrhunderten dorfansässig waren, so wie die von väterlicher Seite in Fürth, Roth am Sand, Schwabach, Bamberg und Zirndorf.

Beziehung zu Boden, Klima und Volk muß also den Generationen, die durch dreißig oder vierzig Jahrzehnte hier hausten, in Fleisch und Bein übergegangen sein, obgleich sie diesen Einflüssen entgegenstrebten und als Fremdkörper vom Volksorganismus ausgeschieden waren. Drückende Beschränkungen, wie das Matrikelgesetz, das Verbot der Freizügigkeit und der freien Berufswahl waren noch bis in die Mitte des neunzehnten Jahrhunderts in Kraft. Der Vater meiner Mutter, ein Mann von Bildung und edler Anlage, verblutete an ihnen. Daß finsterster Sektengeist, Ghettotrotz und Ghettoangst dadurch immer frische Nahrung erhielten, versteht sich am Rande.

Als ich geboren wurde, zwei Jahre nach dem Deutsch-Französischen Krieg, war für die deutschen Juden der bürgerliche Tag längst angebrochen. Im Parlament kämpfte die liberale Partei bereits für die Zulassung der Juden zu den Staatsämtern, eine Anmaßung, die auch bei den aufgeklärtesten Deutschen Entrüstung hervorrief. »Ich liebe die Juden, aber regieren will ich mich von ihnen nicht lassen«, schrieb zum Beispiel ein Mann wie Theodor Fontane damals an einen Freund.

Von Pferch und Helotentum spürte ich also in meiner Jugend nichts mehr. Auf der einen Seite hatte man sich eingelebt, auf der anderen sich gewöhnt. Wirtschaftlicher Aufschwung begünstigte die Duldsamkeit. Ich erinnere mich, daß mein Vater bei irgendeiner Gelegenheit mit freudiger Genugtuung sagte: »Wir leben im Zeitalter der Toleranz!« Das Wort Toleranz machte mir in Gedanken viel zu schaffen; es flößte mir Respekt ein, und ich beargwöhnte es, ohne daß ich seine Bedeutung begriff.

In Kleidung, Sprache und Lebensform war die Anpassung durchaus vollzogen. Die Schule, die ich besuchte, war staatlich und öffentlich. Man wohnte unter Christen, verkehrte mit Christen, und für die forgeschrittenen Juden, zu denen mein Vater sich zählte, gab es eine jüdische Gemeinde nur im Sinn des Kultus und der Tradition; jener wich vor dem verführerischen und mächtigen modernen Wesen mehr und mehr ins Konventikelhafte zurück, in heimliche, abgekehrte, frenetische Gruppen; diese wurde Sage, schließlich nur Wort und leere Hülse.

Mein Vater war kleiner Kaufmann, dem es auf keine Weise wie den meisten seiner Glaubens- und Altersgenossen gelingen wollte, Reichtümer zu erwerben. Er hatte in Geschäften eine unglückliche Hand. Er war ein wenig Phantast und hatte immer seine fixe Idee, die ihn der Biegsamkeit der Geldmacher beraubte. Er träumte von großen Spekulationen und großen Unternehmungen, aber was er angriff, schlug fehl. Seine Geistesrichtung war die sentimental-freiheitliche, laues Nachzüglertum der Märzrevolution, das seine verwässerten Tendenzen ins neue Reich getragen hatte. Ich entsinne mich aus meiner Kindheit eines leidenschaftlichen Disputs zwischen ihm und einem seiner Vettern über Ferdinand Lassalle, von dem er wie vom Gottseibeiuns sprach; aber ich entsinne mich auch, daß er manchmal am Abend rührende Lieder zur Gitarre sang. Das war noch in der guten Zeit, als ihn die Sorgen noch nicht gebrochen hatten. Er liebte Schiller und sprach mit Hochachtung von Gutzkow. Auf einer seiner Reisen hatte er in einem thüringischen Badeort zusammen mit Gutzkow an der Gästetafel gespeist; er erzählte oft mit Stolz davon, und in späteren Jahren, als meine Kämpfe um den Schriftstellerberuf ihn erbitterten, sagte er mir einmal, um vermessene Ambitionen zurückzuweisen, als deren Beute er mich sah: »Was bildest du dir ein? Einen Gutzkow kannst du nie erreichen!«

Mitte der achtziger Jahre gründete er eine Fabrik in kleinem Stil, mit geringem Kapital, das er mühselig zusammengeborgt hatte, aber mit großen Hoffnungen. Nach wenigen Jahren machte er Bankrott und wurde dann Versicherungsagent, eine Tätigkeit, die trotz unermüdlicher Anstrengungen ihn mit den Seinen kaum über Wasser hielt und ihn außerdem mit dem Gefühl einer gescheiterten Existenz belud. Er hat sein ganzes Leben lang schwer gearbeitet; als ich, dreißigjährig, den Sechsundfünfzigjährigen für einige Wochen zu Gast bitten konnte, zeigte er eine beständige stumme Verwunderung, und beim Abschied sagte er zu mir: »Es waren die ersten Ferien meines Lebens!« Nach Hause zurückgekehrt, starb er, acht Tage nachher.

Meine Mutter starb, als ich neun Jahre alt war. Sie war eine Schönheit, von blondem Typus, sehr sanft, sehr schweigsam. Es wurde mir oft erzählt, daß Fremde, die sich in der Stadt aufhielten, durch den Ruf ihrer Schönheit neugierig gemacht, sie zu sehen begehrten. Es wurde mir auch erzählt, daß ihre Jugendliebe ein Christ gewesen sei, ein Maschinenmeister aus Ulm. Es sind noch Briefe von ihr vorhanden, in denen eine kindlich-volkshafte Schwermut atmet, Poesie der Traurigkeit. Ich entsinne mich noch gut, welche Bestürzung ihr unerwarteter Tod hervorrief, und wie die halbe Stadt ihrem Sarg zum Friedhof folgte.

Beide Menschen, mein Vater und meine Mutter, obwohl gegeneinander sehr verschieden geartet, hatten ein Gemeinsames darin, daß sie ihrer Zeit nicht gemäß waren. Sie kamen von der Romantik her, der Vater als geistiger Spätling, die Mutter im Gemüt davon verdunkelt und beschwert. Bei der Mutter äußerte es sich naturhaft und führte eine tragische Lebensstimmung herbei, beim Vater drang es in das Motorische und war von einem grundlosen, alle Sachverhalte verhängnisvoll verschleiernden Optimismus begleitet, der ihm Enttäuschung über Enttäuschung brachte und seinen Mut und seine Kraft zerstörte.

2

Die meinem Judentum geltenden Anfeindungen, die ich in der Kindheit und ersten Jugend erfuhr, gingen mir, wie mich dünkt, nicht besonders nahe, da ich herausfühlte, daß sie weniger die Person als die Gemeinschaft trafen. Ein höhnischer Zuruf von Gassenjungen, ein giftiger Blick, abschätzige Miene, gewisse wiederkehrende Verächtlichkeit, das war alltäglich. Aber ich merkte, daß meine Person, sobald sie außerhalb der Gemeinschaft auftrat, das heißt sobald die Beziehung nicht mehr gewußt wurde, von Sticheleien und Feindseligkeit fast völlig verschont blieb. Mit den Jahren immer mehr. Mein Gesichtstypus bezichtigte mich nicht als Jude, mein Gehaben nicht, mein Idiom nicht. Ich hatte eine gerade Nase und war still und bescheiden. Das klingt als Argument primitiv, aber der diesen Erfahrungen Fernstehende kann schwerlich ermessen, wie primitiv Nichtjuden in der Beurteilung dessen sind, was jüdisch ist, und was sie für jüdisch halten. Wo ihnen nicht das Zerrbild entgegentritt, schweigt ihr Instinkt, und ich habe immer gefunden, daß der Rassenhaß, den sie sich einreden oder einreden lassen, von den gröbsten Äußerlichkeiten genährt wird, und daß sie infolgedessen über die wirkliche Gefahr in einer ganz falschen Richtung orientiert sind. Die Gehässigsten waren darin die Stumpfesten.

Das zunächst nur als Andeutung. Was die Gemeinschaft anlangt, so fühlte ich mit ihr keinerlei tieferen Zusammenhang. Religion war eine Disziplin und keine erfreuliche. Sie wurde von einem seelenlosen Manne seelenlos gelehrt. Sein böses, eitles, altes Gesicht erscheint mir noch jetzt bisweilen im Traum. Sonderbarerweise habe ich selten von einem humanen oder liebenswürdigen jüdischen Religionslehrer gehört, die meisten sind kalte Eiferer und halb lächerliche Figuren. Dieser, wie alle, bläute Formeln ein, antiquierte hebräische Gebete, die ohne eigentliche Kenntnis der Sprache mechanisch übersetzt wurden, Abseitiges, Unlebendiges, Mumien von Begriffen. Positiven Ertrag gab nur die Lektüre des Alten Testaments, aber auch da fehlte die Erleuchtung, vom Gegenstand wie vom Interpreten her. Vorgang und Gestalt wirkten im Einzelnen, Episodischen, das Ganze zeigte sich starr, oft absurd, ja unmenschlich und war durch keine höhere Anschauung geläutert. Vom Neuen Testament brach bisweilen ein Strahl herüber wie ein Lichtschein durch eine verschlossene Tür, und Neugier mischte sich mit unbestimmtem Grauen. Jene ewigen Bilder und Mythen befruchteten meine Phantasie erst, als ich in ein privates, sozusagen psychologisches Verhältnis zu ihnen treten konnte, ein Prozeß, der sie individualisierte, im Sinne der Aufklärung geistig machte, oder im Sinne der Romantik stofflich, je nachdem, in jedem Falle von der Religion ablöste.

Um den Gottesdienst war es noch übler bestellt. Er war lediglich Betrieb, Versammlung ohne Weihe, geräuschvolle Übung eingefleischter Gebräuche ohne Symbolik, Drill. Der fortgeschrittene Teil der Gemeinde hatte eine moderne Synagoge gebaut, eines der Häuser im quasibyzantinischen Stil, wie man in den meisten deutschen Städten eines findet, und deren parvenühafte Prächtigkeit über die fehlende Gemütsmacht des religiösen Kultus nicht hinwegtäuschen kann. Mir war da alles hohler Lärm, Ertötung der Andacht, Mißbrauch großer Worte, unbegründete Lamentation, unbegründet, weil im Widerspruch mit sichtbarem Wohlleben und herzhafter Weltlichkeit stehend; Überhebung, Pfafferei und Zelotismus. Die einzige Erquickung waren die deutschen Predigten eines sehr stattlichen blonden Rabbiners, den ich verehrte.

Die Konservativen und Altgläubigen hielten ihren Dienst in den sogenannten Schulen ab, kleinen Gotteshäusern, oft nur Stuben in einer entlegenen Winkelgasse. Da sah man noch Köpfe und Gestalten, wie sie Rembrandt gezeichnet hat, fanatische Gesichter, Augen voll Askese und glühend im Gedächtnis unvergessener Verfolgung. Auf ihren Lippen wurden die strengen Gebete, Anruf und Verfluchung, wirklich, die lastbeladenen Schultern sprachen von generationenalter Demut und Entbehrung, die ehrwürdigen Gebräuche wurden in entschlossener Hingabe buchstabengetreu erfüllt, die Erwartung des Messias war ungebrochener, wenn auch dumpfer Glaube. Aufschwung war unter ihnen nicht, Trotz und Innigkeit, oder Glanz oder Menschlichkeit, oder Freude, aber Überzeugung und Leidenschaft war unerbittliche Regel und Gemeinschaft.

In eine solche Schule mußte ich nach dem Tode meiner Mutter, als neunjähriger Knabe, jeden Morgen mit Sonnenaufgang, jeden Abend mit Sonnenuntergang, am Sabbat und an Feiertagen auch nachmittags ein Jahr hindurch gehen, um als Erstgeborener vor der Gebetsgemeinde das Kaddisch zu sagen. Zehn männliche Personen über dreizehn Jahren mußten zu dem Zweck versammelt sein, doch waren es meist alte, uralte Leute, die Übriggebliebenen einer früheren Welt. Es war hart, an Wintermorgen bei Schnee und Kälte, im Sommer um fünf Uhr und früher noch, eine Pflicht zu üben, die aufgenötigt und befohlen war, deren Bedeutung ich nicht begriff oder begreifen mochte. Es gab sich niemand die Mühe, sie dem Geist zu verklären und so die Gefahr zu bannen, daß durch die Befolgung eines als grausam empfundenen Brauches das Bild der Mutter, obschon nur vorübergehend, getrübt wurde. Dazu kam, daß im väterlichen Hause, besonders nach der zweiten Verheiratung des Vaters, von einer religiösen Bindung und Erziehung nicht die Rede war. Gewisse äußerliche Vorschriften wurden eingehalten, mehr aus Rücksicht auf Ruf und Verwandte, aus Furcht und Gewöhnung, als aus Trieb und Zugehörigkeit. Fest- und Feiertage galten als heilig. Der Sabbat hatte noch einen Rest seines urtümlichen Gehalts, die Gesetze für die Küche wurden noch geachtet. Aber mit der wachsenden Schwere des Brotkampfes und dem Eindringen der neuen Zeit verloren sich auch diese Gebote einer von der Andersgläubigen unterschiedenen Führung. Man wagte die Fessel nicht ganz abzustreifen; man bekannte sich zu den Religionsgenossen, obwohl von Genossenschaft wie von Religion kaum noch Spuren geblieben waren. Genau betrachtet war man Jude nur dem Namen nach und durch die Feindseligkeit, Fremdheit oder Ablehnung der christlichen Umwelt, die sich ihrerseits hierzu auch nur auf ein Wort, auf Phrase, auf falschen Tatbestand stützte. Wozu war man also noch Jude, und was war der Sinn davon? Diese Frage wurde immer unabweisbarer für mich, und niemand konnte sie beantworten.

Es war ein trübes Medium zwischen mir und allen geistigen und bürgerlichen Dingen. Bei jedem Schritt nach vorwärts stieß ich auf Hemmnisse und Verschleierungen, nach keiner Richtung hin war offener Weg. Wenn ich sagte, daß ich von Pferch und Helotentum nichts spürte, so bezieht sich das natürlich nur auf die rechtliche Konstruktion des Lebens, auf das individuelle Sicherheitsgefühl, innerhalb dessen sich das Tun und Lassen des einzelnen Menschen reguliert. Sind diese beiden Faktoren einmal gegeben und zugestanden, so wird von ungleich höherer Wichtigkeit für ihn die Frage, wie er sich zur Allgemeinheit verhält und wie die Allgemeinheit zu ihm. Daraus erwächst ihm die Erkenntnis seiner Lebensaufgabe und, je nach der Entscheidung, die Kraft zu ihrer Erfüllung. An diesem Punkt begann denn auch mein Leiden.

3

Der jüdische Gott war Schemen für mich, sowohl in seiner alttestamentarischen Gestalt, unversöhnlicher Zürner und Züchtiger, als auch in der opportunistisch abgeklärten der modernen Synagoge. Erschreckend sein Bild in den Köpfen der Strenggläubigen, nichtssagend in den Andeutungen der Halbrenegaten und Verlegenheitsbekenner.

Wenn meine kindlich-philosophischen Spekulationen den Gottesbegriff zu fassen versuchten, einsames Denken und später Gespräche mit einem Freund, entstand ein pantheistisches Wesen ohne Gesicht, ohne Charakter, ohne Tiefe, Resultat von Zeitphrasen, beschworen allein durch das Verlangen nach einer tragenden Idee. In dem Maß, wie diese Idee sich als unbefriedigend erwies, sei es durch ihre Mittelmäßigkeit, sei es durch ihre geahnte Verbrauchtheit, geriet ich in einen nicht minder billigen und flüssigen Atheismus, der der Epoche noch gemäßer war, dieser Zeit heilloser Verflachung und Verdünnung, die mit verstandener wie mit mißverstandener Wissenschaft Idolatrie trieb und ihre ganze Gedankensphäre durch Bildung verfälschte.

Es war keine leitende Hand für mich da, kein Führer, kein Lehrer. Ich verlor mich in mannigfacher Hinsicht, auch indem ich nach Halt und Gewicht dort suchte, wo der wahrhafte Mensch ihrer entraten kann. Ich hatte mich in einer sowohl entseelten wie auch entsinnlichten Ordnung zurechtzufinden. Ein derartiger Zustand der Welt bedingt entweder die Zweckhaftigkeit bis in den kalten Rausch der Hirne hinein, oder die Phantasie gerät in überschwellende Bewegung, und das Gemüt verliert den Mittelpunkt. Wäre ich nicht als fragender Mensch in sehr frühen Jahren nachhaltig eingeschüchtert worden, so hätte ich Brücken und Übergänge finden können. Konventionen wären wichtig gewesen, leichte und respektierte Formen. Die Mutter war zu bald aus dem Kreis geschwunden, den Vater beraubten Todesplage und Existenzangst immer mehr des Aufblicks. Er ertrug kaum die auf ihn gerichteten Augen seiner Kinder, denn der Umstand, daß die unablässige Plage ihm, ihm allein, wie er wähnte, keinen Erfolg brachte, erfüllte ihn mit Scham, und er sah immer aus wie vom bösen Gewissen gequält. Es war uns geradezu verboten zu fragen, und Übertretung wurde zuweilen streng geahndet. Daher auch wuchs inneres Unkraut ohne Schranke in mir. Ich erinnere mich, daß ich in krankhafter Weise an Gespensterfurcht litt, an Menschenfurcht, an Dingfurcht, daß in allem, was mich umgab, eine dunkle Bezauberungsmacht wirkte, stets unheilvoll, stets dem Verhängnis zugekehrt, stets darin bestärkt. Ich war oft in einem alten Hause Gast bei einem alten Ehepaare; der Mann war ein Gelehrter; im Zimmer stand ein Bücherschrank, hinter dessen Glastüre die Werke Spinozas in zahlreichen Ausgaben eigentümliche Verlockung auf mich ausübten. Als ich eines Tages die Frau bat, mir einen Band zu geben, sagte sie mit sibyllenhafter Düsterkeit, wer diese Bücher lese, werde wahnsinnig. Lange noch behielt der Name Spinoza in meinem Gedächtnis den Klang und Sinn dieser Worte. So ähnlich war es auch mit allem Frohen, Spielmäßigen, Festlichen, das zu mir wollte, zu dem ich wollte. Es wurde abgedrängt, verdächtigt, verfinstert. Lust durfte nicht sein.

Wir hatten in der Zeit nach dem Tode der Mutter eine treue Magd, die mich gern hatte. Des Abends kauerte sie gewöhnlich vor der Herdstelle und erzählte uns Geschichten. Ich entsinne mich, daß sie einmal, als ich ihr besonders ergriffen gelauscht hatte, mich in den Arm nahm und sagte: »Aus dir könnt' ein guter Christ werden, du hast ein christliches Herz!« Ich entsinne mich auch, daß mir dieses Wort Schrecken erregte. Erstens, weil es eine stumme Verurteilung des Judeseins enthielt und damit Nahrung für bereits vorhandene Grübeleien wurde, zweitens, weil der Begriff Christ damals noch ein unheimlicher für mich war, halb atavistisch, halb lebensbang Brennpunkt feindlicher Elemente.

In demselben Gefühl befangen ging ich an Kirchen vorbei, an Bildern des Gekreuzigten, an Kirchhöfen und christlichen Priestern. Uneingestandenen Anziehungen strebten ungewußte Bluterfahrungen entgegen. Dazu kam das erhorchte Wort eines Erwachsenen, Wort der Klage, der Kritik, der Verfremdung, Ausdruck wiederkehrender typischer Erlebnisse, warnend und signalgebend in Redensarten wie im täglichen Geschehen. Von der anderen Seite wieder genügte ein prüfender Blick, ein Achselzucken, ein geringschätziges Lächeln, abwartende Geste und Haltung sogar, um Vorsicht zu gebieten und an Unüberbrückbares zu mahnen.

Worin aber das Unüberbrückbare bestand, konnte ich nicht ergründen. Auch als ich später das Wesentliche daran erfaßte, wies ich es für meine Person fürs erste zurück. In der Kindheit waren ich und meine Geschwister so verwirkt in das Alltagsleben der christlichen Handwerker- und Kleinbürgerwelt, daß wir dort unsere Gespielen hatten, unsere Gönner, Zuflucht in Stunden der Verlassenheit; in Wohnungen der Goldschläger, der Schreiner, der Schuster, der Bäcker gingen wir aus und ein, am Christabend durften wir zur Bescherung kommen und wurden mitbeschenkt. Aber Wachsamkeit und Fremdheit blieben. Ich war Gast, und sie feierten Feste, an denen ich keinen Teil hatte.

Nun war aber das Bestreben meiner Natur gerade darauf gerichtet, nicht Gast zu sein, nicht als Gast betrachtet zu werden. Als gerufener nicht, als aus Mitleid und Gutmütigkeit geduldeter noch weniger, als einer, der aufgenommen wird, weil man seine Art und Herkunft zu ignorieren sich entschließt, erst recht nicht. Angeboren war mir das Verlangen, in einer gewissen Fülle des mich umgebenden Menschlichen aufzugehen.

Da aber dies Verlangen nicht nur nicht gestillt, sondern mit zunehmenden Jahren der Riß immer klaffender wurde zwischen meiner ungestümen Forderung und ihrer Gewährung, so hätte ich mich verlieren, schließlich mich selbst aufgeben müssen, wenn nicht zwei Phänomene rettend in mein Leben getreten wären: die Landschaft und das Wort.

4

Erstickend in ihrer Einigkeit und Öde die gartenlose Stadt, Stadt des Rußes, der tausend Schlöte, des Maschinen- und Hämmergestampfes, der Bierwirtschaften, der verbissenen Betriebs- und Erwerbsgier, des Dichtbeieinander kleiner und kleinlicher Leute, der Luft der Armut und Lieblosigkeit im väterlichen Haus.

Im Umkreis dürre Sandebene, schmutzige Fabrikwässer, der trübe, träge Fluß, der geradlinige Kanal, schüttere Wälder, triste Dörfer, häßliche Steinbrüche, Staub, Lehm, Ginster. Eine Wegstunde nach Osten: Nürnberg, Denkmal großer Geschichte. Mit uralten Häusern, Höfen, Gassen, Domen, Brücken, Brunnen und Mauern, für mich dennoch nie Kulisse oder Gepränge, oder leerer, romantischer Schauplatz, sondern durch vielfache Beziehung in das persönliche Schicksal verflochten, in der Kindheit schon und später gewichtiger noch.

Wenige Bahnfahrtstunden nach Süden: das hügelige Franken, Tal der Altmühl, wo ich in Gunzenhausen bei

Ansbach alle Ferien bei der Schwester meiner Mutter verbringen durfte, alle Sommerwochen des Jahres, oft auch herbst- und winterliche. Die Landschaft von zarter Linienführung, mit Wäldern, die gehegtes inneres Bild nicht so beschämen wie jene anderen; Blumengärten, Obstgärten, Weiher, verlassene Schlösser, umsponnene Ruinen, dörfliche Kirmessen, einfache Menschen. Es ergab sich freie Wechselbeziehung zu Tier und Pflanze; Wasser, Gras und Baum wurden mir wesenhaft vertraut; und so der Bauer, der Händler, der Wirt, der Landstreicher, der Jäger, der Förster, der Amtmann, der Türmer, der Soldat. Hier sah ich sie in reinen Verhältnissen zu ihrer Welt, die auch die meine war, wenigstens nie mich ausstieß. Ich konnte ein Entgegenkommen wagen, weil das organisch Gestimmte und Gestufte arglos macht. Ich lebte gewissermaßen in zwei abgetrennten Kontinenten, mit der Gabe, im lichteren zu vergessen, was mich der finstere hatte erfahren lassen. Dort sozial angeschmiedet, sozial erinnert, an die Kaste gepreßt, Parteiung erkennend, Unbill wissend, im Häßlichen verwoben oder in Altes, Uraltes, Ahnenhaftes, krampfig, scheu, isoliert, meidend und oft gemieden; hier der Natur gegeben, in freundlicher Nähe zu ihr, durch ihren Einfluß, wenn auch immer nur vorübergehend, losgesprochen von nicht abzuwälzender Schuld und Anklagebürde, die sonst lähmend, ja zermalmend hätte wirken müssen.

Über diese beiden Erlebnisgebiete hinaus, als Drittes dann die innere Landschaft, die die Seele aus ihrem Zustand vor der Geburt mit in die Welt bringt, die das Wesen und die Farbe des Traumes bestimmt, des Traumes in der weitesten Bedeutung, wie überhaupt die heimlichen und unbewußten Richtwege des Geistes, die sein Klima sind, seine eigentliche Heimat. Nicht etwa nur Phantasiegestaltung von Meer und Gebirge, Höhle, Park, Urwald, das paradiesisch Ideale der unreifen Sehnsucht, der Aus- und Zuflucht alles Ungenügens an der Gegenwart ist unter der inneren Landschaft zu verstehen, vielmehr ist sie der Kristall des wahren Lebens selbst, der Ort, wo seine Gesetze diktiert werden, und wo sein wirkliches Schicksal erzeugt wird, von dem das in der sogenannten Wirklichkeit sich abspielende vielleicht bloß Spiegelung ist.

In diesem Punkt sich auf Erfahrungen zu berufen, ohne zu flunkern oder zu dichten, ist fast unmöglich. Es handelt sich um Gefühlsintensitäten und um Bilder von unfaßbarer Flüchtigkeit. Beinahe alles zu Äußernde muß sich auf ein »ich glaube« beschränken. Man tastet hin, man ahnt zurück; jede Erinnerung ist ja ein Stück Konstruktion. Es scheint mir zweifellos, daß alle innere Landschaft atavistische Bestandteile enthält, und ebenso zweifellos dünkt mich, daß sie bei den meisten Menschen zu einem gewissen Zeitpunkt zwischen der Pubertät und dem Eintritt in das sogenannte praktische Leben verwelkt, verdorrt, schließlich abstirbt und untergeht.

Ich war sehr naiv in meiner Abhängigkeit von Traum und Vision. Vision darf ich es wohl nennen, da sich mir unerlebte Zustände, unwahrnehmbare Dinge und Figuren in Greifbarkeit zeigten. Im Alter zwischen zehn und zwanzig Jahren lebte ich in beständigem Rausch, in einer Fernheit oft, die den Mitmirgehenden und -seienden bisweilen nur eine empfindungslose Hülle ließ. Es ist mir später berichtet worden, daß man mich anschreien mußte, um mich als Wachenden zu wecken. Ich hatte Anfälle von Verzückung, von wilder, stiller Verlorenheit, und in der Regel war die Abtrennung so gewaltsam und jäh, daß die Verbindungen rissen, und daß ich wieder gespalten blieb, auch ohne Wissen, was dort mit mir geschehen war. In beiden Sphären lebte ich mit geschärfter Aufmerksamkeit, wie überhaupt Aufmerksamkeit ein Grundzug meines Wesens ist, aber es waren keine Brükken da; ich konnte hier völlig nüchtern, dort völlig außer mir sein, auch umgekehrt, und es fehlte dabei alle Mitteilung, alle Botschaft. Das erhielt mich in einer außerordentlichen, mich quälenden und erregenden, für die Menschen um mich meist unverständlichen Spannung. Staunen und Verzweiflung waren die Gemütsbewegungen, die mich vornehmlich beherrschten; Staunen über Gesehenes, Geschautes, Empfundenes; Verzweiflung darüber, daß es nicht mitteilbar war. Vermutlich war meine Verfassung die: ich wußte, daß Unerhörtes oder Merkwürdiges mit mir, an mir, in mir geschah, war aber durchaus nicht imstande, mir oder anderen davon Rechenschaft zu geben. Ich war gewissermaßen ein Moses, der vom Berge Sinai kommt, aber vergessen hat, was er dort erblickt, und was Gott mit ihm geredet hat. Noch heute wüßte ich nicht im geringsten zu sagen, worin eigentlich dies Verborgene, verborgen Flammende, geheimnisvoll Jenseitige bestanden hat; ich muß es für ewig unerforschbar halten, trotzdem es mir lockend erscheint, einiges davon zu ergründen; es müßte dann auch zu ergründen sein, was zu den Ahnen gehört und was zur Erde, was vom Blute kam und was vom Auge, und aus welcher Tiefe das Individuum in den ihm gewiesenen Kreis emporwächst.

Mit der Darstellung dieser Kämpfe und Exaltationen ist ein Verhältnis zum Wort bereits angedeutet und seine Entstehung aus der Not und Notwendigkeit heraus zu erklären. Und wie sehr das Wort Surrogat und Behelf ist, erweist sich in meinem Fall nicht minder offensichtlich, da doch das Ding und Sein, worauf es sich bezog, unbekannt geworden und hinter nicht zu entriegelnder Pforte lag. Ich glaube, daß alle Schöpfung von Bild und Form auf einen solchen Prozeß zurückzuführen ist. Ich glaube, daß alle Produktion im Grunde der Versuch einer Reproduktion ist, Annäherung an Geschautes, Gehörtes, Gefühltes, das durch einen jenseitigen Trakt des Bewußtseins gegangen ist und in Stücken, Trümmern und Fragmenten ausgegraben werden muß. Ich wenigstens habe mein Geschaffenes zeitlebens nie als etwas anderes betrachtet, das sogenannte Schaffen selbst nie anders als das ununterbrochene schmerzliche Bemühen eines manischen Schatzgräbers.

Doch: Kunde zu geben, davon hing für mich alles ab, schon im frühesten Alter. Obgleich die entschwundenen Gesichte mich stumm, geblendet und mit Vergessen geschlagen in die niedrige Wirklichkeit verstießen, wollte ich doch Kunde geben, denn trotz ihrer Ungreifbarkeit war ich bis zum Rande von ihnen gefüllt. Bereits als Knabe von sieben oder acht Jahren geriet ich zuweilen, meine gewohnte Scheu und Schweigsamkeit überwindend, in zusammenhangloses Erzählen, das von Angehörigen, von Hausgenossen und Mitschülern als halb gefährliches, halb lächerliches Lügenwesen aufgenommen und dem mit Zurechtweisung, Spott und Züchtigung begegnet wurde. An Winterabenden halfen wir Kinder oft der Mutter beim Linsenlesen, und es kam vor, daß ich dabei plötzlich zu phantasieren anfing, in den Linsenhaufen hinein Schrecken, Unbill und Abenteuer dichtete, Gespenstergraus und Wunder, harmlose Nachbarn als Zeugen sonderbarer Begegnungen anführte, mir selbst die höchsten Ehren, höchsten Ruhm prophezeite. Die Mutter, ihre Arbeit ruhen lassend, schaute mich ängstlich verwundert an, ein Blick, der mich noch trotziger in das unsinnig Verworrene trieb. Nicht selten nahm sie mich beiseite und beschwor mich mit Tränen, daß ich nicht der Schlechtigkeit verfallen möge.

Wie ich aber aus eigenem Antrieb und wiederum durch eine Not zum Erzähler von Geschichten mit handelnden Figuren und geschlossener Fabel wurde, muß ich festhalten, weil es weit über den kindlichen Bezirk hinaus auf meinen Weg, auf meine Wurzeln wies.

Die zweite Frau meines Vaters war uns Kindern aus erster Ehe nicht wohlgesinnt und ließ uns ihre Abneigung auf jede Weise spüren. Abgesehen von ungerechten und überharten Züchtigungen, steten Klagen, die sie vor dem Vater führte, schränkte sie die Nahrung aufs äußerste ein, versah die Brotlaibe mit Zeichen, so daß sie erkennen konnte, wenn einer von uns sich zu Unrecht ein Stück abgeschnitten hatte, und trug Sorge, daß das Vergehen schwer bestraft wurde. Freilich hatte sie Mühe, mit dem ihr zugeteilten Gelde zu wirtschaften, so wie mein Vater Mühe hatte, es aufzubringen; desungeachtet glaube ich, daß die Kinder von Bettlern es in dieser Hinsicht besser hatten. Als nun mein Onkel, der Bruder meiner Mutter, ein wohlhabender Mann, der in Wien als Fabrikant lebte, erfuhr, wie übel es uns erging, deponierte er bei einem Bekannten in der Stadt eine gewisse Summe für die Bestreitung dringender Auslagen, und ich als Ältester erhielt wöchentlich eine Mark mit der Erlaubnis, dafür Eßwaren für mich und meine Geschwister zu kaufen. Es war eine bedeutende Summe in meinen Augen, und da es zu gefährlich war, das Geld bei mir zu tragen, war ich bemüht, ein Versteck ausfindig zu machen. Mein Bruder nun, der um fünf Jahre jünger war als ich, also ungefähr sechs, hatte keinen anderen Gedanken, als dieses Versteck zu erspähen, denn er war unzufrieden mit der Verteilung, mißtraute mir, verlangte bei jedem Anlaß mehr, als ich ihm bewilligte, und bestand darauf, daß ich ihm zeige, wieviel ich besaß. War der Zank einmal im Gang, so artete er gewöhnlich bis zu Drohungen aus, und ich mußte täglich gewärtig sein, daß der gierige Rebell mich bei der Stiefmutter denunzierte, eine Verräterei, deren Folgen ich mehr als alles fürchtete. Insofern war mein Bruder im Recht, als ich nicht den ganzen, mir zugewiesenen Betrag für Brot, Obst, Wurst und Käse ausgab, sondern mir außerdem noch billige Bücher anschaffte, die ich heimlich und hastig verschlang. Mein Bruder und ich schliefen in einer Art Verschlag in demselben Bett, und in meiner Bedrängnis verfiel ich nun auf den Ausweg, ihm vor dem Einschlafen Geschichten zu erzählen. Wider Erwarten fand ich an ihm den aufmerksamsten Zuhörer, und ich nützte den Vorteil aus, indem ich jeden Abend meine Geschichte an der spannendsten Stelle abbrach. Zeigte er sich dann während des folgenden Tages ungebärdig, so hatte ich meinerseits eine wirksame Waffe und Drohung: ich erklärte einfach, daß ich die Geschichte nicht weitererzählen würde. Je verwickelter, spannender, aufregender die von mir ersonnene Begebenheit war, je erpichter war er natürlich, die jedesmalige Fortsetzung zu hören, und ebenso natürlich mußte ich, um ihn im Zaum zu halten und nach meinem Willen lenken zu können, alle Geistes- und Kombinationskraft zu Hilfe rufen. Es war keineswegs leicht; ich hatte einen unerbittlichen Forderer, und ich durfte nicht langweilig und nicht flüchtig werden. So erzählte ich wochen- ja monatelang an einer einzigen Geschichte, im Finstern, mit leiser Stimme, bis wir beide müde waren, und bis ich im Durcheinander der Figuren zu der Situation gelangt war, von der ich selbst noch nicht wußte, wie sie zu lösen sei, die aber den atemlosen Lauscher wieder für vierundzwanzig Stunden in meine Gewalt gab.

Ich sagte, daß mich dies auf den Weg und auf die Wurzeln wies. Auf den Weg, weil ich die wichtige Erfahrung machte, daß ein Mensch zu binden ist, zu »fesseln«, wie der verbrauchte Topos lautet, indem man sich seiner Einbildungskraft bemächtigt, daß man ihn sogar vom Schlechten abbringen kann, wenn man seine Sinne auf unwirkliche, aber eine Wirklichkeit vortäuschende Begebenheiten und Schicksalsverkettungen richtet; daß man Freude, Furcht, Überraschung, Rührung, Lächeln und Lachen in ihm zu erregen vermag, und zwar um so stärker, je freier das Spiel, je absichtsloser und je mehr vom Zweck befreit die Täuschung ist. Der beständige Augenschein aller Wirkung hielt mich selbst in Atem, weckte meinen Ehrgeiz, zwang mich zu immer neuen Erfindungen und zur Vervollkommnung meiner Mittel.

Auf die Wurzeln: es lag mir sicherlich als ein orientalischer Trieb im Blute. Es war das Verfahren der Scheherasade ins Kleinbürgerliche übertragen; schlummernder Keim, befruchtet durch Zufall und Gefahr. Scheherasade erzählt, um ihr Leben zu retten, und während sie erzählt, wird sie zum Genius der Erzählung schlechthin; ich – nun, um mein Leben ging es nicht, aber das Fieber des

Fabulierens ergriff auch mich ganz und gar und bestimmte Denken und Sein.

Es dauerte nicht lange, bis es mir Bedürfnis wurde, die eine oder andere der nächtlich erzählten Geschichten aufzuschreiben. Dies mußte in größter Heimlichkeit geschehen, und es begann damit schon der Kampf. Daß mein Treiben allmählich ruchbar wurde, war nicht zu verhindern; die Stiefmutter sah die pure Tagedieberei darin und warf alle beschriebenen Blätter, deren sie habhaft werden konnte, ins Feuer; Verwandte, Lehrer, Kameraden stellten sich feindselig dagegen, beinahe derart, als ob ich sie durch mein Unterfangen geradezu beleidigt hätte, und der zum erstenmal bekundete Vorsatz, mich dem Schriftstellerberuf zu widmen, rief bei den Bekannten Gelächter, beim Vater den heftigsten Unwillen hervor.

Die Sache war die, daß ich dem Onkel, jenem Bruder meiner Mutter, der in kinderloser Ehe lebte, gleichsam versprochen war. Darauf hatte mein Vater seine ganze Hoffnung gesetzt; was ihm fehlgeschlagen war, sollte mir gelingen: reich zu werden; mich in einer großen Laufbahn als Nachfolger des bewunderten Schwagers zu sehen, war seine Lieblingsvorstellung. Meine abgeirrte Neigung zu unterdrücken, ließ er deshalb nichts unversucht.

Damals war literarische Bildung und literarischer Zuschnitt in der bürgerlichen Gesellschaft weder so häufig noch so erstrebt wie heute, und das hatte sein Gutes. Seit die Kunst aufgehört hat, das seltene und kostbare Vergnügen weniger Erlesener zu sein, ist sie für die Vielen Luxus, Ausrede und Gemeinplatz geworden, schließlich Betrieb, wie jeder andere. Keiner will mehr hören und empfangen, alle wollen selber reden und selber den Geber spielen.

In meinem fünfzehnten Jahr hatte ich einen Roman geschrieben, ein unsäglich dürftiges und abgeschmacktes Ding, und das Manuskript trug ich eines Tages in die Redaktion des Tageblattes. Ein dicker Redakteur saß verschlafen am Schreibtisch und musterte mich erstaunt, als ich mein Anliegen vorbrachte. Kurz darauf erschien der Anfang des Elaborats unter meinem Namen, gespickt mit Druckfehlern, in der Unterhaltungsbeilage der Zeitung. Ich weiß es noch, es war ein Winterabend, wie mein Vater nach dem Essen das Blatt zur Hand nahm, das ich so aufgefaltet neben seinen Teller gelegt hatte, daß sein Blick auf mein Produkt fallen mußte, wie ich klopfenden Herzens wartete. Ich sehe noch, wie der versorgte, müde Ausdruck seines Gesichtes sich jäh veränderte, wie in seinen Augen zuerst ein Aufblitzen von Stolz war, das aber bald dem Zorn, der Angst, der Ratlosigkeit wich.

Es gab schlimme Szenen, Vorwürfe, Drohungen, Beschimpfungen, Hohn. Auch in der Schule wurde ich zur Rechenschaft verhalten, vor den Rektor zitiert und wegen verbotener Publikation zu zwölfstündigem Karzer verurteilt. Der Vater aber wurde mein unerbittlicher Verfolger, und die Frau war seine getreue Spionin, so daß ich keine ruhige Arbeitsstunde mehr fand und des Nachts bisweilen bei Mondschein das Bett verließ und am Fenster, in einem leidenschaftlichen inneren Zustand, Blatt um Blatt vollschrieb. In einer solchen Nacht brach in der hofseitig gelegenen Fabrik meines Vaters Feuer aus. Ich bemerkte die Flamme zuerst, schlug Lärm, und als ich den Vater mit entsetzten Mienen, halb angekleidet, die Stiegen hinuntersteigen sah, bildete ich mir ein, er werde durch dieses Unglück für seine Härte gegen mich bestraft.

5

Schwer und dunkel waren die Jahre des Werdens. Um von der Unbill und dem Gefühl erlittenen Unrechts nicht erdrückt zu werden, flüchtete ich mich gern in die Vorstellung, daß der Weltgeist für mich im stillen wirkte. Es war ziemlich wunderbar, daß ich an der kerkerhaften Wirklichkeit nicht zerschellte.

Ich hatte den Forderungen, mit denen man meine Natur vergewaltigen wollte, nur Trotz entgegenzusetzen, schweigenden Trotz, schweigendes Anderssein. Zwei Freunde halfen mir, jeder in seiner Weise. Beide waren Juden, beide spielten eine typische Rolle in meiner Entwicklung.

Der eine war ein schlanker, großer, blondlockiger Mensch, mit einem Antoniuskopf. Es war der Sohn einer reichen Witwe und besaß eine ansehnliche Bibliothek. Die Stunden unseres Beisammenseins und die Beschäftigung mit den Werken der Dichter waren erstohlen, ihr Gepräge war Schwärmerei. Mit unersättlichem Hunger nahm ich Vers und Prosa in mich auf, Gestalt und Szene. Alles war mir schaurig heilig, was in diesem Bereich webte; zwischen dem Alltäglichen und der Region der Hingabe und Ergriffenheit war nur eine schmale Brücke, die heimlich passiert werden mußte; hier war Kälte, Angst, Beengung, Kahlheit, Dumpfheit; dort Glut, Innigkeit, Passion; und Wort, Bild, Traum waren die Altäre eines verschwiegenen Dienstes. Möglich, daß der Freund mit mir von mir hingerissen wurde; er war weich, sentimental, eitel auf seine Schönheit; mir war er eine Zeitlang Idol. Wie ich zum Kaufmann bestimmt, wollte er Schauspieler werden, und da ich den künftigen Garrick der deutschen Bühne in ihm erblickte, war die Tragödie unser eigentliches Feld. Der Ehrgeiz erwachte in mir, meinem bewunderten Garrick ein Shakespeare zu werden, und ich ging selbst an die Verfertigung von Trauerspielen. Ich kannte keine Richtung oder Schule; es war Sturm und Drang in mir, aus mir, Pathos und Überschwang aus eigenen Quellen, erfundene Welt voll Mord, Blutdurst, Raserei; und der Freund glaubte. In seinen Augen hatte ich schon die Unsterblichkeit erlangt. Als uns das Geschick voneinander getrennt hatte und ich in die Fabrik des Onkels nach Wien gekommen war, hielt ein enthusiastischer Briefwechsel das Feuer lebendig, und in zahlreichen, umfangreichen Episteln gab ich ihm Rechenschaft von allem, was ich schrieb und dachte. Er aber verlosch bald. Ich merkte, daß ihm meine intransigente Haltung unbequem wurde, denn er hatte paktiert. Statt meinen geistigen Qualen wenigstens Echo zu sein, erschöpfte er sich in rührseligen und verlogenen Schilderungen seiner Liebesabenteuer, und eines Tages, als er wieder lang und breit von der Leidenschaft zu einer Artistin geschrieben hatte, beschloß ich, nicht mehr zu antworten und habe dann auch nie wieder von ihm gehört.

Der andere Freund war der Sohn eines Handelskaufmannes in Gunzenhausen, der in München die Rechte studierte, drei Jahre älter als ich war, und den ich stets in den Ferien zum Genossen hatte, schroffer Gegensatz zu jenem ersten. Im Wachstum zurückgeblieben, zwerghaft klein, war ihm der durchdringende jüdische Verstand gegeben, eine Fähigkeit, die Schwächen und Blößen der Menschen wahrzunehmen und zu geißeln, die mich ihn fürchten ließ. Meine dichterische Neigung verfolgte er mit beißendem Spott, namentlich, wenn junge Mädchen dabei waren, vor denen er zu glänzen liebte, und denen seine Witzworte in Heinescher Manier, seine Belesenheit und Schlagfertigkeit imponierten.

In dieser kleinen Welt war er das große Licht, die letzte Instanz der Kritik, während ich als Poetaster und haltloser Schwärmer, der nicht einmal den Weg humanistischer Bildung einschlug, eine mitleidswürdige Figur machte. Durch nichts konnte ich mich vor ihm behaupten, durch keine Anstrengung, keine Verheißung, keinen Hinweis; er zerpflückte mir Wort und Leistung, verdächtigte das Bestreben sogar und doch war ihm zu gefallen, von ihm gebilligt zu werden mein schmerzliches Bemühen. Nicht bloß, daß er Mißtrauen in meiner Umgebung säte, rief er auch Schwanken in mir selbst hervor, und eingeschüchtert von seiner Beredsamkeit und Argumentierungskunst, der scheinbar unbeugsamen Strenge seines Urteils, der Überlegenheit seines Wissens und der Bosheit seiner Zunge, betrachtete ich ihn als Richter und Führer. Als er sich endlich zur Anerkennung meines Werbens und Kämpfens herbeiließ, legte ich in einer wichtigen Stunde die Entscheidung über mein Schicksal in seine Hand. Das kam so:

Meine Situation im Hause meines Onkels war unhaltbar geworden. Ich entsprach den Erwartungen nicht. Ich zeigte mich bei der mir zugewiesenen Arbeit lustlos und unverläßlich, entschlüpfte bei jeder Gelegenheit dem starren Kreis, um im Verborgenen einer Neigung zu frönen, die für befremdlich, schädlich, ja verbrecherisch geachtet wurde; die Tage verbrachte ich in einer verworrenen, ja somnambulen Gemütsverfassung, die Nächte, oft bis zum Morgengrauen, fiebernd, berauscht, entselbstet vor meinen Manuskripten. Daß ich da lauter leeres Stroh drosch, ist nicht zu bezweifeln, aber es handelt sich in solchen Epochen der Entwicklung weniger um Qualität als um Intensität. Die Folgen waren häusliche Auseinandersetzungen, Vorwürfe der Undankbarkeit, Besserungsversuche, Strafmandate, Predigten, Hohn. Daß in meinem abirrenden Treiben irgend Vernunft und Zukunft liegen könne, von der Möglichkeit des Broterwerbs zu schweigen, wurde gar nicht erwogen; mein Onkel, ein gütiger, einfacher, obwohl schwacher Mensch, Einflüssen ausgesetzt, die ihm mein Bild verzerrten, Arbeits- und Erwerbssklave, drohte, mich mit Schimpf davonzujagen, und allerdings mußte es mir als das Schlimmste erscheinen, meinem Vater wieder zur Last zu fallen, oder, wie es später auch kam, in einer Provinzabgeschiedenheit als Bureauschreiber meinen Unterhalt zu verdienen.

Es war da ein langjähriger Hausarzt, zugleich Hausfreund, der eine eigentümliche geistige Ähnlichkeit mit meinem Freund hatte. Scharfer Kopf, scharfes Auge, skeptischer Verstand, literarisch unterrichtet, gleichfalls Jude, war er wie das Ebenbild von jenem aus älterer Generation, nur daß er mehr Welt und mehr Bonhomie besaß. Derselbe Typus heute hat überhaupt nichts mehr von Welt und Bonhomie. Es kann bei oberflächlichem

Urteil bedünken, als hätte der Typus an Positivität des Geistes gewonnen, was er an Gutmütigkeit und Schliff verloren hat. Aber das ist nur Schein. Zieht man die Hülle weg, so steht ein Leugner da, jetzt wie vordem, ein Entgötterer, ein Opportunist aus still nagender Verzweiflung, deren Wesen ihm freilich selber unbekannt ist. Seltsam, mit der nämlichen Rückhaltlosigkeit wie an den jungen Mann schloß ich mich an den Älteren an, um in genau der nämlichen Art enttäuscht zu werden. Die spezifisch jüdische Form von Weltklugheit ist mir im Laufe meines Lebens vielfach verhängnisvoll geworden, weil ich mit völlig anders eingestellten Sinnen unvermögend war, die praktischen Nutz- und Nahzwecke auch nur wahrzunehmen, dabei aber mit der äußeren Verantwortung häufig, mit der inneren immer beladen wurde.

Die Beweise meines Talents, die ich dem Arzt lieferte, wurden von ihm verworfen und verlacht, waren dann auch in Gesellschaft das Ziel seiner geistreichen Sticheleien. Doch ließ er sich zu Besprechungen mit mir herbei und gab mir den Rat, zu studieren. Die Frage war nur, ob der Onkel die Mittel dazu bewilligen würde, und er versprach, ihn dazu zu überreden. Indessen wandte ich mich, bezaubert von der neuen Aussicht, an meinen Freund in München, schilderte ihm, wie die Dinge lagen, schrieb vorgreifend, daß ich möglicherweise auf die Unterstützung meines Verwandten zählen könne und fragte, ob er mich aufnehmen, ob er mir beistehen, mich zum Examen vorbereiten würde. Die Antwort war über Erwarten herzlich und ermunternd; das Bild eines gemeinsamen Wirkens und Strebens, das er, der sonst so kühl abwägende, mir machte, war so verführerisch, daß ich plötzlich die Geduld verlor, mit dem Onkel und seinen Beratern weiter zu verhandeln und eines Nachmittags im Mai 1890 heimlich meinen Koffer packte, auf den Bahnhof ging und mit fünfzig oder sechzig ersparten Gulden nach München flüchtete.

Ich entsinne mich noch sehr gut der nächtlichen Fahrt

im Personenzug, weil ich mich während ihrer ganzen Dauer in einer Stimmung befand und ihr gemäß handelte, die nicht oft wiedergekehrt ist in meinem Leben. Ich saß in einem trüb erleuchteten Wagen dritter Klasse, zusammen mit etwa dreißig Menschen, Bauern, Kleinbürgern, Arbeitern, auch Frauen und Mädchen, und vom Beginn der Fahrt an, die ganze Nacht hindurch, hielt ich die Leute mit ausgelassenen Späßen, lustigen Geschichten und unbedenklichen Hanswurstiaden in fortwährendem schallenden Gelächter, in das auch die Schaffner einfielen. Alle die lachenden, feuchten Augen waren gespannt, dankbar-entzückt auf mich gerichtet, und ich erinnere mich noch eines mageren alten Bauern, der vor Lachen förmlich weinte, und einer Frau mit einem Korb, die mir von Zeit zu Zeit Äpfel zusteckte und meine Hand tätschelte. Ich hatte Vergnügen daran, zu beobachten, wie die Traurigkeit, Bitterkeit, Wundheit in mir im selben Maße wuchsen, in dem ich mein harmloses Publikum zu vermehrtem Beifall hinriß. So frech in die lebendige Antithese stellt man sich nur unter dem Antrieb jugendlich-selbstgefälliger, selbstbetrunkener Menschensucht und Menschenflucht, aber es ist wohl auch eine Empfindung außerordentlicher Einsamkeit dabei im Spiel gewesen.

Mein Freund, der Student, hatte gehofft, daß der reiche Onkel, den er respektierte, mich mit Geldmitteln ausgerüstet und mit seinem Segen hatte ziehen lassen und war natürlich nicht erbaut, als es sich herausstellte, daß ich von der Krippe weggelaufen sei und um Gnade erst betteln müsse. Halbgezwungen machte er noch einmal den Fürsprecher meines unbesonnenen Unternehmens, und es wurde mir ein sehr geringes Monatsgeld bewilligt, so gering, daß es mich kaum vor dem Hunger bewahrte und von geregelter Arbeit und sorglosem Studium nicht die Rede sein konnte. Die Laune meines Mentors wurde daher immer finsterer; ich wurde ihm zur Last, er wußte nicht, was er mit mir beginnen sollte und suchte sich der Verantwortung zu entledigen; er hielt mir meine Vermessenheit vor, meine Dumpfheit, den Mangel an Willenskraft und prophezeite mir Untergang. Im Kreis seiner Kommilitonen, in den er mich bisweilen brachte, galt ich als traurig-komische Person, Wildling, armer Teufel, nach studentischen Begriffen unebenbürtig, Gegenstand der Geringschätzung auch insofern, als ich nicht zu trinken imstande war, und binnen kurzem sah ich mich in einer viel übleren Lage als vor der Flucht aus dem Hause des Onkels. Unter dem Schein der Obsorge und Voraussicht beging mein Freund die Verräterei, vor seiner Reise in die Ferien an meinen Onkel zu schreiben, daß ich es mit den neuen Aufgaben nicht ernst nehme, und daß er infolgedessen meinem Tun und Treiben nicht länger Vorschub leisten wollte; die akademische Laufbahn sei mir nach seiner Überzeugung verschlossen. Darauf wurde die Geldunterstützung, die ich bis dahin bezogen, eingestellt, und ich befand mich im Zustand der Hilflosigkeit und Verlassenheit, die noch um das Gefühl des Zweifels an der Zukunft vermehrt wurden, als ich an einem der Tage steigender Bedrängnis, beladen mit einem voluminösen Epos in Blankversen zu einem der berühmtesten Dichter Münchens wallfahrtete, um ein Urteil, einen Fingerzeig, ein tröstliches Wort von ihm zu empfangen. Das Gegenteil trat ein. Der große Mann, der sich mir kühl und majestätisch gab, riet mir ernst, mich wieder dem Kaufmannsberuf zuzuwenden, wozu ihm wahrscheinlich die Beschaffenheit meines Opus guten Grund bot. Ich zürnte ihm nicht, denn ich war schon damals instinkthaft davon durchdrungen, daß in den Jahren der Entwicklung Werk und Gewirktes viel weniger zu zeugen vermögen als der Mensch, das Schicksal, das er auf sich nimmt und der Weg, den er geht. Hierzu bedarf es aber eines anderen Blickes als den in ein dickleibiges Manuskript und eines anderen Verhältnisses, als dem zwischen gefeierter Autorität und schüchternem Scholaren.

6

Es war mir auch damals gar nicht so sehr um Werk und Wirken zu tun, als ich mir in ephemerer Ungeduld vielleicht selber einbildete. Wonach ich begehrte, war die Menschenwelt, eine Lebensmitte, ein Fundament, um Werk und Gewirktes darauf zu bauen. Fundament hatte ich nicht. Von Anbeginn an nicht, und unheimlicherweise war es nicht ein Wissen von Entbehrung, von dem ich mir bestimmte Rechenschaft hätte ablegen können, nicht die Erkenntnis umschriebener und begrenzter Widerstände, sondern nur ein ahnendes, blindes Ertasten davon, das sich im Bewußtsein und in der Seele kaum formulieren ließ, zur Greifbarkeit sich erst viel später verdichtete. Denk ich zurück, so war es wie ein Herumtappen im leeren finstern Raum, aus dem man erst einen Ausgang finden muß, bevor eine sinnvolle Tätigkeit überhaupt in Frage kommt, ein System der Dinge entstehen kann.

Ich wurde als Mensch nicht als zugehörig gefordert, weder von einem einzelnen, noch von einer Gemeinschaft, weder von den Menschen meines Ursprungs, noch von denen meiner Sehnsucht, weder von denen meiner Art, noch von denen meiner Wahl. Denn zu wählen hatte ich mich ja nachgerade entschlossen, und die Wahl hatte stattgehabt. Von jenen habe ich mich mehr durch inneres Geschick, als durch freien Entschluß geschieden, diese aber nahmen mich nicht auf und an, und mich selber darzubieten, ging gegen Stolz und Ehre. Das Problem entfaltete sich also in seiner ganzen beunruhigenden Wucht.

Das Wort von der Sehnsucht und Wahl darf nicht mißverstanden werden. Keine Regentenregung war in mir. Auch Vergeßlichkeit nicht und noch weniger Nützlichkeitserwägung. Ich lebte in schmeichelnden, die mir so nahe, so augenscheinliche Wahrheit eigenwillig verschleiernden Ideen von allgemeinem Menschentum; in voller

Unbefangenheit, durch Erfahrungen nicht belehrt, noch nicht gedemütigt, Erfahrungen auch sonst schwer zugänglich, schuf ich mir von aller Umwelt idealisch verklärte Bilder, und ein naives Selbstzutrauen, Selbstbetrug hielt mich ab, statuierte Unterschiede der Klasse, Kaste und Rasse, der Herkunft und des bürgerlichen Charakters auch auf mich anzuwenden.

Ich war der Bedingtheit entledigt und nahm es in unheilvoller Täuschung für ein typisches Los, so daß die Menschenwelt in lauter einzelne ebenso unbedingte Wesen zerfiel. Hiervon wurde meine Phantasie ins Uferlose, Bodenlose, Firmamentlose gerissen, und ich stand schwach und armselig vor diesem Unbedingten, das mir einerseits Verführung wurde, andererseits Fatum und Gewissensbürde.

7

Um nicht zu verhungern, mußte ich Zuflucht bei meinem Vater suchen, der zu dieser Zeit in Würzburg lebte, selbst in kümmerlichsten Umständen. Als wahrer verlorener Sohn kehrte ich zurück; wenn es auch ohne Dramatik abging, ohne Schmerz und Demütigung ging es nicht ab. Er ließ mich fühlen, daß ich seine wesentlichste Hoffnung zunichte gemacht hatte und zeigte sich mir noch finsterer und kälter als vordem. Am erbittertsten war die Stiefmutter über den unwillkommenen Kostgänger, an den sie Wohlwollen ohnehin nie verschwendet hatte. Es war schlimm, gleichsam betteln zu sollen um die Mahlzeit und das Bett zum Schlafen, aber so war alles von da ab.

Ich trieb mich planlos herum, viele Wochen lang in den alten Gassen und Weinbergwegen am Ufer des Stroms, auf dem Hofgartenwall, im Veitshöchheimer Schloßpark und verschanzte mich, da ich keinen Gefährten hatte, kein Paar Augen, die mich freundlich grüßten, in Einsamkeitswollust und Einsamkeitshochmut. Draußen waren Geister in Bewegung, ich spürte es wohl, Ruf und Anruf der Jugend jener Jahre drang auch zu mir, die Parole von neuer Zeit, neuer Wahrheit und neuen Menschen, aber ich wagte es nicht, mich inbegriffen zu denken und sah keinen Weg zu ihnen hin. Ich wagte es nicht, aber es war auch ein sonderbarer Stolz im Spiel, der Traum vom heimlichen Kaiser, den gerade die Verstoßenen manchmal selbstverliebt in sich nähren.

Indes wuchs die Sorge meines Vaters über das arbeitsscheue Treiben, und er forderte, daß ich dem Onkel einen Abbittebrief schreiben und ihn durch das Gelöbnis der Besserung bestimmen solle, mich wieder aufzunehmen. Mich zu sträuben war umsonst, die Quälereien wurden zu arg. So fügte ich mich ins Unvermeidliche und verfaßte mit schriftstellerischer Gewandtheit einen jener Briefe, von denen mein Onkel verächtlich sagte, die seien schöne Wortfeuerwerke. Doch willigte er in eine Probezeit. Sein Haus und seine Fabrik sollten mir verschlossen bleiben, bis meine Führung bewies, daß ich von den »Wahnideen« geheilt sei. In der Familie eines seiner Beamten verschaffte er mir Kost und Wohnung. Es waren einfache, aber lärmende und triviale Menschen, denen ich als Neffe ihres Brotgebers Respektsperson, als angehender und zugleich mißglückter Literat lächerliches Geschöpf war. Ich trat als Lehrling in ein Exportgeschäft, was von Beginn an eine kaum erträgliche Fron war. Der Chef war ein cholerischer Halbnarr; Spekulant, Leuteschinder, stadtbekannter Wüstling. Im ganzen Betrieb herrschte eigentümliche Tücke und Aufsässigkeit. Man verlangte die niedrigsten Dienstleistungen von mir, und ohne zu wissen wie, war ich alsbald das Ziel eines niedrigen Intrigenwesens, der Verleumdung und der Bosheit. Zehn Monate nahm ich mich zusammen, um meinem Versprechen treu zu bleiben. Ein frecher Bubenstreich machte der Sache ein Ende. Der Prokurist fand eines Tages während meiner Abwesenheit in meinem Pult einige pornographische Photographien, ich wurde vor ein Tribunal zitiert, ich wußte von nichts, ich hatte dergleichen Bilder nie gesehen, ich verschmähte es, mich zu verteidigen, verließ den Posten und erklärte meinem Onkel rundweg, daß ich mit solchen Menschen nichts mehr zu schaffen haben wolle. Eine junge Praktikantin, die mir ihre Zuneigung geschenkt hatte, ruhte nicht, bis sie die Verschwörung aufgedeckt und den Schuldigen zum Geständnis gezwungen hatte, aber das war nunmehr zu spät. Der Familienrat war in Verlegenheit: Ich war zur Kalamität geworden, und man wollte mich los sein, wenn nicht auf gute Manier, so auf schlechte. Es wurde beschlossen, daß ich mein Militärjahr absolvieren und, falls ich nach Verlauf dieses Jahres nicht zur Vernunft gekommen sei, meinem Schicksal überlassen werden sollte. Ich wurde also wieder nach Würzburg geschickt, stellte mich dort in der Kaserne und wurde aufgenommen. Zur Bestreitung der Kosten wurde die Hälfte eines kleinen mütterlichen Erbteils flüssig gemacht, etwa tausend Mark; und davon sollte ich nicht nur ein ganzes Jahr leben, sondern auch die Ausgaben für den Dienst, die Uniformierung, die Repräsentation aufbringen. Ich trat sonach in die Armee als mittelloser Privilegierter ein, unglückselige Mischung, wie ich bald spüren sollte. Jude und arm, das erregte doppelte Geringschätzung, bei der Mannschaft wie bei den Offizieren. Im übrigen beging ich gleich zu Beginn eine Torheit und Einfältigkeit, von der das Odium während des ganzes Jahres an mir haften blieb. Lächerlicherweise nämlich schloß ich das schriftliche *curriculum vitae*, dessen Anfertigung in den ersten Tagen verlangt wurde, mit einem schwermütigen Gedicht, das, soweit ich mich erinnere, die Vergeblichkeit irdischen Strebens und des meinen insbesondere zum Motiv hatte. Der Feldwebel las die gereimten Verse beim Rapport unter allgemeinem Hallo vor und hielt mir eine niederschmetternde Standrede, als hätte ich das gesamte deutsche Heer verhöhnt.

Erlebnis will mit Freiheit behandelt sein, sonst bleibt es dem Zufälligen verhaftet oder ans Eitle verdingt. Da eine eigentliche Lebensbeschreibung hier nicht beabsichtigt ist, sondern nur Darstellung eines schicksalhaften Konflikts, genüge als Zusammenhängendes der bisherige Bericht, der lediglich aufzeigen soll, wie ich geworden, und auf welchem Boden ich gewachsen bin. Der Weg wird nun schmaler und bestimmter, die Richtung energischer sein müssen, Gebot der Verknüpfung hat zurückzutreten gegen die Folge und Stufung des Entscheidenden.

Obwohl ich meine Ehre und ganze Kraft darein setzte, als Soldat meine Pflicht zu tun und das geforderte Maß der Leistung zu erfüllen, wozu bisweilen keine geringe Selbstüberwindung nötig war, gelang es mir nicht, die Anerkennung meiner Vorgesetzten zu erringen, und ich merkte bald, daß es mir auch bei exemplarischer Führung nicht gelungen wäre, daß es nicht gelingen konnte, weil Absicht dawider war. Ich merkte es an der verächtlichen Haltung der Offiziere, an der unverhehlten Tendenz, die befriedigende Leistung selbstverständlich zu finden, die unbefriedigende an den Pranger zu stellen. Von gesellschaftlicher Annäherung konnte nicht die Rede sein, menschliche Qualität wurde nicht einmal erwogen, Geist oder auch nur jede originelle Form der Äußerung erweckte sofort Argwohn, Beförderung über eine zugestandene Grenze hinaus kam nicht in Frage, alles, weil die bürgerliche Legitimation unter der Rubrik Glaubensbekenntnis die Bezeichnung Jude trug. Aber dies ist ja hinlänglich bekannt, niemand hat sich schließlich mehr darüber gewundert, auch war ich von vornherein mit der Situation vertraut, was ja an sich schlimm genug ist und eine beständige Trübung der allgemeinen Lebensstimmung herbeiführen muß.

Auffallender, weitaus quälender war mir in dieser Beziehung das Verhalten der Mannschaften. Zum erstenmal begegnete ich jenem in den Volkskörper gedrungenen dumpfen, starren, fast sprachlosen Haß, von dem der Name Antisemitismus fast nichts aussagt, weil er weder die Art, noch die Quelle, noch die Tiefe, noch das Ziel zu erkennen gibt. Dieser Haß hat Züge des Aberglaubens ebenso wie der freiwilligen Verblendung, der Dämonenfurcht wie der pfäffischen Verstocktheit, der Rankiine des Benachteiligten, Betrogenen ebenso wie der Unwissenheit, der Lüge und Gewissenlosigkeit wie der berechtigten Abwehr, affenhafter Bosheit wie des religiösen Fanatismus. Gier und Neugier sind in ihm, Blutdurst, Angst verführt, verlockt zu werden, Lust am Geheimnis und Niedrigkeit der Selbsteinschätzung. Er ist in solcher Verquickung und Hintergründigkeit ein besonderes deutsches Phänomen. Es ist ein deutscher Haß.

Jeder redliche und sich achtende Jude muß, wenn ihn zuerst dieser Gifthauch anweht und er sich über dessen Beschaffenheit klar zu werden versucht, in nachhaltige Bestürzung geraten. Und so erging es auch mir. Kam hinzu, daß die katholische Bevölkerung Unterfrankens, reichlich durchsetzt mit einem unerfreulichen Schlag noch halb ghettohafter, handelsbeflissener, wuchernder Juden, Krämer, Trödler, Viehhändler, Hausierer, einer dauernden Verhetzung preisgegeben war, an Urbanität und natürlicher Gutherzigkeit weit unter benachbarten Stämmen stand und das Andenken an Brunnenvergiftungs- und Passahschlachtungsmärchen, bischöfliche Bluterlässe, mörderische und gewinnbringende Judenverfolgungen noch lebendig im Sinne trug.

Es geschah, daß ich zu einem jungen Menschen in förderliche Beziehung trat; wenn dann die gewisse Enthüllung unvermeidlich war, zog er sich entweder vorsichtig zurück, oder er gab sich eine Weile unbefangen, um schließlich doch ein schwer bekämpfbares Mißtrauen durchblicken zu lassen, oder er ließ mich verstehen, daß er in meiner Person eine Ausnahme statuiere und sich seines begründeten Vorurteils zu meinen Gunsten entäußere. Das war dann das Beleidigendste von allem. Eher noch können wir es ertragen, daß das Individuum in uns für minderwertig proklamiert wird, als die Gattung; eher noch darf der Charakter verdächtigt werden, als die Geburt; gegen jenes kann man sich retten, man kann den Irrtum beweisen, oder wenigstens sich einbilden, ihn widerlegen zu können; gegen dieses sind alle Argumente und Beispiele machtlos, und der gehütetste innerste Spiegel des Bewußtseins trübt und befleckt sich.

Als ich nach der Entlassung vom Militärdienst nach Nürnberg kam, wo man mir eine schlechtbezahlte und untergeordnete Stellung in einer Kanzlei angeboten hatte, war ich in einem wesentlichen Teil des Verhältnisses zur Welt schon gelähmt. Die Verbindung, die der Stolz in einem mit der Furcht vor Erniedrigung eingeht, ist für die Sittlichkeit und Freiheit des Handelns die schädigendste. Ist das errungene Gefühl des eigenen Wertes unverlierbar geworden, so rettet vor der Verbitterung nur die Isolierung, der Entschluß, sich suchen und finden zu lassen, die Sehnsucht nach dem, der suchen und finden wird. Es ist das Wunderbare der Jugend, daß sie am Menschen nie ganz zu verzweifeln vermag, eher wirft sie sich selbst weg, als daß sie aufhört, an den Menschen, dies geträumte Bild vom Menschen zu glauben. Und so warf auch ich mich weg damals. Ich geriet in schlechte Gesellschaft; ich hatte unhemmbares Verlangen nach geistigem Umgang und stürzte in die Kloake des Geistes, mich dürstete nach Bestätigung, und ich wurde aus mühselig eroberten Festen geschleudert; ich wünschte mir das Wort, das nicht seinen ganzen Gehalt aus Geld, Schweiß und Plage bezieht und wurde von dem besudelnden getroffen, dem, das Geistesart und Geisteshaltung äfft. Mehr ist schlechterdings nicht zu sagen nötig, um die Existenz zu kennzeichnen, die ich durch Jahr und Tag führte; was sollte es frommen, das häßliche Einzelne wieder hervorzuziehen aus dem Grab der Zeit, die in schmutzigen Kneipen verbrachten Nächte, Ekstasen eines ziemlich ideenlosen Rebellentums, jämmerlichen Selbstverlust, Prahlerei und Armut, versäumte Pflicht, würgende Not, billige Herausforderung des Bürgers. Es ist heute nicht neu und war zu seiner Stunde nicht neu. Auch von dem Ring der traurigen Figuren zu sprechen, lohnt nicht. So trüb oder auch merkwürdig die Schicksale, so mittelmäßig der Zuschnitt im ganzen. In allen Winkelkaffeehäusern der Erde wird von allen malkontenten und impotenten Künstlern, Literaten und verkrachten Studenten, von allen Falstaffs und Pistols, Collines und Hjalmar Ekdals dieselbe Phrase in derselben Manier vom Rausch bis in den Katzenjammer totgeschleift.

Was als Ingredienz zu tieferer Lebensbestimmung vom Treiben jener Jahre für mich blieb, war einerseits die Stadt, Monument des Mittelalters, wie durch Zauberfluch ruhend inmitten tobender Betriebsamkeit, fieberhafter, von Tag zu Tag anschwellender Industrie, Ausgangspunkt fast und werdendes Zentrum des Kampfes zwischen Bürgertum und Proletariat; es ist mir immer symbolisch bedeutend für diese Konstellation erschienen, daß die erste Eisenbahn Europas zwischen Nürnberg und Fürth lief. Andererseits, im natürlichen Zusammenhang damit, war Anblick und Erfahrung einer schroff geteilten Menschenwelt, Welt von Beschauenden, Stillen, Vergehenden und Welt von Wollenden, Überlauten, Kommenden.

Alles das in begrenztem Kreis, hingestellt wie zum Exempel und Experiment, im Herzen Deutschlands. Die Schalen schwankten vor mir auf und ab. Ich war nicht gesonnen, mein Schicksal an eine von ihnen zu hängen. Von dort wurde mir Zärtlichkeit alter Formen geschenkt, Ehrfurcht vor Überlieferung, Hauch der Geschichte, Innensein, Gabe, das Umfriedete, Geschlossene, Gesicherte zu spüren und zu denken; von hier kam die Vision der neuen Dinge, Begriff und Gesicht verwandelter Zeit, im übrigen freilich Kälte, Kälte der Seelen, Trägheit der Seelen, Verkrustung der Seelen.

Wenn ich mit jenen nun nicht versunken bin, so habe ich es vielleicht einem Menschen zu danken, der im bedenklichsten Augenblick wie ein Retter in mein Leben getreten ist. Ich hatte seine Sympathie erweckt, er beobachtete mich, näherte sich mir, zeigte mir die Gefahr, und seine sanfte, geduldige, liebevolle Überredung bewirkte, daß ich das verrottet-unfruchtbare Treiben verabscheuen und meiden lernte. Was ernsthafter Zuspruch nicht fertig brachte, erreichte er durch kaustischen Humor, durch die beispielhafte Anekdote, denn er war ein unermüdlicher Erzähler und barst von Geschichten. Obwohl selbst in vielfaches Ungemach verstrickt, hamletisch vergrübelt und, da seine zugleich kantig-schroffe und weiblich-sensible Natur ihm jeden vertrauten Umgang erschwerte, auch vereinsamt, schloß er sich werbend, führend, eifersüchtig wachsam an mich an. Er war einer der problematischsten Menschen, denen ich je begegnet bin, und sein Einfluß erstreckte sich über meine wichtigsten Jahre.

Er war sechs oder sieben Jahre älter als ich. Er entstammte einem alten Nürnberger Patriziergeschlecht, das aber völlig verarmt war. Sein Vater war tot, er lebte mit seiner Mutter, einer welthassenden, weltfremden, eigentümlich strengen Frau in einem Verhältnis zwischen Unverträglichkeit und Liebe. Seines Zeichens war er Lithograph, doch mit seiner Art, die sich wie ein Fisch verbiß, hatte er sich literarischen Interessen zugewandt, nicht als Produzierender, sondern als ein mit seiner Gegenwart und den Zeitgenossen leidenschaftlich Hadernder. Er war schlank, hager, sehnig, flink, nervös wie ein Rennpferd, launenhaft, verstand zu imponieren und zu gewinnen, war voller Impuls und Heftigkeit, auch voll List und Witz, und hatte Neigungen zum Aszeten, zum Bücherwurm, zum Homöopathen, zum Sonderling.

Als er, der seine Kräfte in der Heimat verdorren fühlte, nach Zürich gegangen war, wo ihm ein größerer Wirkungskreis in Aussicht stand, war mir zumute, wie einem, den der gute Geist verlassen hat, und mein Trachten war darauf gerichtet, wieder in seine Nähe zu gelangen. Ein Briefwechsel von seltener Intensität, seiner- und meinerseits, gab nur ungenügenden Ersatz für die lebendigen Stunden, aber es war vorläufig keine Hoffnung auf Wiedervereinigung. Ich hatte indessen das Mündigkeitsalter erreicht, bekam das kleine Restkapital des mütterlichen Vermögens ausgehändigt, fünf- bis sechshundert Mark, in deren Besitz ich mir reich schien. Ich kündigte meine Stellung, zahlte meine Schulden fuhr nach München und lebte ein paar Wochen in Sorglosigkeit, was ein vollkommen neuer Zustand für mich war, der sich auch bald rächte, denn eines Tages war der vermeintliche Schatz erschöpft. Ich sah mich nach einer neuen Stellung um, ließ ein Inserat drucken, und es meldete sich ein Generalagent im badischen Freiburg, der mich um Bild und Personalien ersuchte und mich nach geschehener Sendung engagierte. Ich war der einzige Beamte in seinem Bureau und hatte täglich zehnstündige Schreibarbeit zu leisten. Der Mann, in dessen Dienst ich getreten, war hart, karg, hinterhältig, schwer zu befriedigen, im Benehmen von betonter Korrektheit, Allüre des Reserveleutnants. An einem Sonntagmorgen, als ich in die Kanzlei gegangen war, um eine dringliche Arbeit zu erledigen, erschien er gleichfalls, lobte meinen Eifer, sagte aber dann, ich möchte die Arbeit lassen und lieber in die Kirche gehen. Etwas erstaunt, ihn über diesen Punkt nicht unterrichtet zu sehen, antwortete ich, was zu antworten war. Sein Gesicht veränderte sich erschreckend. Nach einem bösen Schweigen warf er mir vor, ich hätte ihn absichtlich in Unwissenheit gehalten, es wäre meine Pflicht gewesen, ihm von meiner Konfession im Offertbrief präzise Mitteilung zu machen, er habe an dergleichen nicht gedacht, da ihn meine Photographie und dann auch mein Auftreten getäuscht habe, und als getäuscht müsse er sich auch betrachten. Weiter äußerte er sich nicht, aber er bereitete mir nun, da er nicht wagte, mich kurzerhand auf die Straße zu werfen, die gehässigsten Schwierigkeiten, nörgelte an jedem Federstrich, an jedem Gruß und legte mir aus niedriger Erwartung heraus eine Falle, indem er mir nämlich das gesamte Bargeld der Agentur übergab und darauf rechnete, daß ich, dem er den vereinbarten Ersatz der Reisekosten bisher vorenthalten hatte, in meiner von ihm gewünschten Notlage mich an dem Geld vergreifen würde. Es geschah auch wirklich, daß ich, während er einige Tage verreist war, zwei Taler aus der Kasse nahm; ich konnte mir nicht anders helfen in der Bedrängnis. Ich gestand es ihm sogleich und bat, die zwei Taler als Vorschuß zu berechnen. Jedoch er lächelte höhnisch. Er hatte nun den Anklagevorwand, der ihn von mir befreite und entließ mich auf der Stelle.

Es waren schlimme Wochen, die darauf folgten. Unterstandlos irrte ich im breisgauischen Schwarzwald herum, verbrachte Regennächte in den Hütten der Holzfäller und wäre verhungert, wenn ich nicht von einigen Bauern Milch und Brot bekommen hätte, und zwar durch Vermittlung ihrer Kinder. Es waren Kinder aus einem Dorf am Titisee, die in Freiburg die Schule besuchten. Ich begleitete sie häufig am Abend durch den Wald und erzählte ihnen dabei allerlei Geschichten. Dies gewann mir ihre Zuneigung. Aber dann ertrug ich dieses Leben nicht mehr, verkaufte, was ich von meinen Habseligkeiten noch entbehren konnte, einen Rock, ein paar Bücher, meine Uhr und machte mich auf die Wanderschaft nach Zürich, wo ich nach vielen Mühseligkeiten auch glücklich anlangte und vom Freund mit einer Freude empfangen wurde, die mich erschütterte und für alle Leiden entschädigte.

9

Es erwies sich, daß der Freund ebenfalls in bedrängter Lage war; mit seinem Stellungsgeber in Streit geraten, hatte er seinen Posten verlassen müssen und einen anderen noch nicht gefunden. Wir lebten nun in folgender Art: Tagsüber schliefen wir in seinem Zimmer in Oberstraß, des Abends suchten wir ein Kaffee auf der Bahnhofstraße auf, wo der Freund einen Oberkellner kannte, der ihm Kredit gewährte. Dort tranken wir Milchkaffee und aßen eine Unmenge von Weißbroten, unsere ganze Mahlzeit für die Dauer von vierundzwanzig Stunden. Wir blieben bis spät in die Nacht sitzen, vertieft in Gespräche, dann gingen wir nach Haus, er legte sich in sein Bett, ich auf eine entliehene Matratze, und so sprachen wir weiter, bis der Morgen graute. Das Erlebnis in Freiburg hatte nicht aufgehört, mich innerlich zu quälen. Der Freund merkte, daß ich ihm etwas verbarg, denn bisher hatte ich es noch nicht über mich gewinnen können, ihm davon zu berichten, sondern als Ursache meiner Flucht einen gleichgültigen Zank angegeben. Mit Feinheit und Geschicklichkeit wußte er mir endlich das Verschwiegene zu entlocken, und nun drehten sich viele unserer nächtlichen Unterhaltungen um dieses Thema.

Der an sich unbedeutende Vorfall führte uns ins Allgemeine und Schicksalhafte und wieder zurück ins begrenzt Persönliche meiner Existenz; nachdem wir solcher Art viele Wege miteinander gegangen waren, öffnete sich plötzlich ein Abgrund zwischen uns.

Ich gestand ihm, was ich nicht verwinden konnte, was zu erkennen und zu benennen ich bisher auch von mit abgewendet hatte: ich fühlte mich als Mitglied einer Nation, gleichgeordnet als Mensch, gleichberechtigt als Bürger; da mich aber ein Beliebiger ohne zureichenden Grund, und ohne daß es möglich war, ihn dafür zur Verantwortung zu ziehen, als untergeordnetes Wesen behandeln dürfte, so beruhe entweder mein Gefühl auf einem

Irrtum, oder die Übereinkunft, von der es gestützt gewesen, sei Lüge und Betrug.

Er erwiderte, die Feindseligkeit habe nicht mir gegolten, sondern meiner Abstammung, der Zugehörigkeit zu einem Fremdkörper innerhalb der Nation; ein Argument auf das ich gefaßt war, und auf das ich nur mit Scham und Empörung antworten konnte.

Angenommen, diese sind eure Gäste, sagte ich, warum tretet ihr dann die Gebote der Gastfreundschaft, die zugleich Gebote der Menschlichkeit sind, mit Füßen? Angenommen aber, sie sind euch lästige Eindringlinge, warum duldet ihr sie und macht euch der Heuchelei humaner Verträge schuldig? Besser offener Kampf als das Wohnen unter einem Dach in scheinheiligem Frieden und heimlichem Haß.

Die Juden gehören nun einmal dazu, sagte er rätselhaft; wie es ist, gehören sie dazu.

Wie, sie gehören dazu? wende ich ein, und ihr traktiert sie dennoch als Ratten und Parasiten?

Wer läßt sich so etwas beifallen? entgegnete er; das tun die politischen und sozialen Unheilstifter. Die aufgeklärten Deutschen wissen, was sie den Juden zu verdanken haben und ihnen in Zukunft auch noch werden danken müssen.

Die Juden, die Deutschen, diese Trennung der Begriffe wollte mir nicht in den Sinn, nicht aus dem Sinn, es war die peinlichste Überlegung, darüber mit mir selbst ins klare zu kommen. Worin besteht das Trennende? fragte ich. Im Glauben? Ich habe nicht den jüdischen Glauben, du hast nicht den christlichen. Im Blut? Wer will sich anmaßen, Blutart von Blutart zu scheiden? Gibt es blutreine Deutsche? Haben sich Deutsche nicht mit französischen Emigranten vermischt? Mit Slawen, Nordländern, Spaniern, Italienern, wahrscheinlich auch mit Hunnen und Mongolen, als ihre Horden deutsches Gebiet überfluteten? Kann man nicht vorzügliche, ja vorbildliche Deutsche von nachweisbar undeutscher Herkunft nennen, Künstler und Feldherrn, Dichter und Gelehrte, Fürsten, Könige sogar? Und die zwei Jahrtausend alte Existenz der Juden im Abendlande sollte nicht ihr Blut berührt haben, wenn es nun schon fremdes Blut sein soll, Luft, Erde, Wasser, Geschichte, Schicksal, Tat und Anteil nicht, wenn man selbst physische Vermischung ausschließt? War auch ihr eigenes Gesetz dagegen und der Widerstand der Völker, konnten sie sich dem natürlichen Gesetz entziehen? Sind sie von anderer moralischer Beschaffenheit? Von anderer menschlicher Prägung?

Er antwortete, es sei vielleicht so. Es scheine ihm, als seien sie von anderer moralischer Beschaffenheit, von anderer menschlicher Prägung. Das gerade sei vielleicht der kritische Punkt.

Ich darauf: Er werde doch nicht behaupten wollen, daß der Freiburger Versicherungsmann nicht unter der Gewalt eines kleinlichen boshaften, gedankenlosen Vorurteils gehandelt habe?

Das räumte er ein, aber was auf einem niedrigen Niveau geschehe, sei nicht maßgebend für die Anschauung auf dem höheren. Übergriffe der Exekutive bewiesen auch nie etwas gegen die Legislatur.

So hege er also die Meinung, ich sei von anderer moralischer Beschaffenheit und anderer menschlicher Prägung als er?

Statt einer Antwort fragte er mich sehr ernst, sehr feierlich, ob ich mich, Hand aufs Herz, wirklich als Jude fühle. Ich zögerte. Ich wollte wissen, worauf die Frage abzielte.

Er lachte und sagte, da sehe er schon, wie schwer es mir werde, mich zu bekennen. Der Begriff Jude sei gar nicht leicht zu umgrenzen.

Sicherlich, entgegnete ich, so wenig wie der Begriff Deutscher.

Er fragte, ob meine Mutter zweifellos eine Jüdin gewesen sei? Ob in der Vergangenheit der Familie kein Fall von Kreuzung bekannt oder nur der Verdacht davon vorhanden sei? Als ich jenes unbedingt bejahte, dieses lächelnd verneinte, schüttelte er den Kopf und sagte, mein Fall sei außerordentlich interessant; es sei ein ganz besonderer Fall.

Ich ließ ihn nicht entschlüpfen. Ich wollte Aufschluß haben über das, was er »meinen Fall« nannte. Ich bot ihm Behelfe. Ich sagte: Es ist nicht entscheidend, daß ich mich unter Deutschen als Deutscher fühle. Dem Deutschen steht es frei, dies als eine Prätention zu betrachten, eine begründete oder unbegründete, je nachdem. Erfüllen: gnadenhalber, ausnahmsweise, befristet oder unbefristet, weil ich ihm durch eine Leistung Respekt oder Sympathie abringe, aus Lässigkeit, Vergeßlichkeit, aus Zwecksucht. In einen Gesellschaftsverband aufgenommen zu werden, nur weil die sonstige Abwehr eingestellt ist, ist verletzend und entwürdigend, letzten Endes für beide Teile.

Er gab es zu. Ich fuhr fort: In aller Unschuld war ich bisher überzeugt gewesen, ich sei deutschem Leben, deutscher Menschheit nicht bloß zugehörig, sondern zugeboren. Ich atme in der Sprache. Sie ist mir weit mehr als das Mittel, mich zu verständigen, und mehr als das Nutzprinzip des äußeren Lebens, mehr als zufällig Gelerntes, zufällig Angewandtes. Ihr Wort und Rhythmus machen mein innerstes Dasein aus. Sie ist das Material, woraus eine geistige Welt aufzubauen ich, wenn schon nicht die Kraft, so doch den unmittelbaren Trieb in mir spüre. Sie ist mir vertraut, als sei ich von Ewigkeit her mit diesem Element verschwistert gewesen. Sie hat meine Züge geformt, mein Auge erleuchtet, meine Hand geführt, mein Herz fühlen, mein Hirn denken gelehrt; sie hat mir das Gesehene, in Phantasie und Urteil Gesammelte durch Geschichte, Fluß des täglichen Seins, Spiel der Lebensläufe, Erlebnis der großen Werke zur Anschauung Gewordene in einmalige, unwiderrufliche Gestalt verdichtet: Ist das nicht gültiger als die Matrikel, als schematisches Bekenntnis, als eingefleischtes Vorurteil, als eine Fremdlingsrolle, die durch Furcht und Stolz auf der einen

Seite, auf der anderen durch Aberglauben, Bosheit und Trägheit besteht?

Ja und nein, entgegnete der Freund. Diese Argumente erhellten meine besondere Situation; im allgemeinen lägen die Dinge ganz und gar nicht so.

Ich will mich aber nicht auf meine besondere Situation berufen, warf ich ein, und ich will mich nicht in ihr begnügen.

Prüfen wir jenes Allgemeine zuerst, sagte er. Die Juden als Gesamtheit haben sich niemals mit den Interessen der Wirtsvölker selbstlos zu identifizieren vermocht. Innerhalb des Staates haben sie sich in eine soziale und religiöse Isolierung zurückgezogen, ein starrer, erstarrter Block in der strömenden Bewegung. Solange die erzwungene Isolierung dauerte, hatten sie den Schein des Martyriums für sich; seit sie aufgehoben ist, liegt der Mangel an Willen und Fähigkeit zutage. Es steckt in ihnen ein ungesunder Hochmut der Tradition noch heute. Noch heute pochen sie auf die nur ihnen allein offenbarte Lehre, bewußt oder unbewußt, und halten alle andere Lehre für Irrtum und Lüge. Namentlich gegen das Christentum mußte sich ihr unauslöschlicher Haß richten, denn ihm gegenüber empfanden sie wie eine Mutter, die aus ihrem Schoß den Verräter geboren hat, Verräter des Volkes, Verräter der Menschheit, Verräter Gottes. Was kann solchem Haß gleichen? Wodurch könnte er gemildert werden? Nur er vielleicht erklärt die Widerstandskraft, die Geduld, die Leidensüberwindung, die beispiellose Vitalität des Stammes. Rache für das Erlittene zu üben, keimt wahrscheinlich als Beschluß seit Geschlechtergedenken in ihrer Seele, wuchert in ihrem Zellgewebe sozusagen; was vermag dagegen der andersgeartete Einzelne? Was beweist er dagegen? Dergleichen Instinkte wirken unterirdisch fort und sind durch keine Übereinkunft gutmeinender Aufklärer, nicht durch den Schmerz der Abgelösten, nicht durch das Vorbild der Verwandelten aus der Welt zu schaffen.

Dies zu hören war mir bitter. Ich hielt ihm vor, das sei ja der ganze Jammer des versteinerten Mißverständnisses und der böswilligen Hetze, doch er nahm es nicht an. Er erwiderte, ich sei wie so viele das Opfer eines Kulturblendwerkes. Wie lange ist's denn her, sagte er, daß die Juden aus der Barbarei niedriger Lebensformen getreten sind? Das achtzehnte Jahrhundert sah sie noch in verstockter Abkehr und düsterer Verkrochenheit. Für den greisen Goethe noch war der Jude ungefähr dasselbe, was dem Amerikaner heute der Nigger ist, trotz Nathan dem Weisen, trotz Spinoza und Moses Mendelssohn, trotzdem die junge Romantik, die sich um ihn erhob, von jüdischen Einflüssen durchsetzt war, trotzdem er gegen die historische und institutive Ehrwürdigkeit der Religions- und Volksgemeinschaft sicher nicht unempfindlich war. Die Kindheitseindrücke des Frankfurter Judenghettos zeigten sich stärker. Die Juden weisen immer auf die Bedrückungen und Verfolgungen hin, wenn verwerfliche Züge aus ihrem Gesamtverhalten gebrandmarkt werden. Kein Jude erträgt ein objektives Urteil über Juden, geschweige denn ein abfälliges, auch über einzelne, auch über Entartete nicht, sobald das Judentum als solches im geringsten mitbelastet wird. Dieser Fehler rächt sich insofern schwer, als sich zwischen schönfärbender Apologie und häßlicher Verleumdungstaktik kaum ein Kompromiß finden läßt. Alle Lobredner weisen mit Emphase auf die unbedingte Sittenreinheit und Gesetzestreue der Juden hin, als ob kein Jude zu irgendwelcher Zeit ein Wässerchen getrübt habe. Dabei waren zum Exempel unter den Räuberbanden, die zwischen 1750 und 1820 die Gegenden Mitteldeutschlands und des Niederrheins unsicher machten, Juden in erklecklicher Menge, Diebe, Hehler und Späher. Die Shylocks aller Grade will ich nicht erwähnen, die mitleidlosen Wucherer und Aussauger, die Spekulanten ohne Gewissen. Absurd wäre ja die Meinung, als ob Millionen Menschen, die sich in heikler sozialer Lage durch die Jahrhunderte winden, fast schutzlos, an Leben und Eigentum stets gefährdet, als ob die mehr und tiefer denn ihre Wächter und Quäler zu makelloser Führung verpflichtet, als ob die Verbrecher unter ihnen verabscheuenswerter wären als die anderen. Gerechterweise muß man ja das Gegenteil behaupten. Dies ist auch nicht der Vorwurf, der zu erheben ist. Die Anklage geht von höherer Warte aus. Sie betrifft das Unvermögen zu seelischer Wandelbarkeit. Geistige Wandelbarkeit ist ihnen ja in außerordentlichem Maße eigen, in gerade verhängnisvollem Maße. Seelisch sind sie in ihrer Gesamtheit, als volkhafte Figur, bis an diesen Tag geblieben, was sie in grauer biblischer Vorzeit waren.

Der Freund verfocht seine Ansichten mit einer beinahe imperativen Autorität. Ich entsinne mich, daß ich mich der Logik und Kraft seiner Argumente nicht entziehen konnte. Niemand wird erwarten, das Gespräch sei hier im Wortlaut angeführt. In Wirklichkeit war es eine lange Folge von Gesprächen, und ich gebe davon den Extrakt, die Legende. Er war unerbittlich; ich, der auf den Grund der Dinge kommen wollte, liebte ihn um dieser Unerbittlichkeit willen, obwohl ich dunkel empfand, daß er sich in unserem gemeinsamen Ringen um die Wahrheit über mich stellte, daß er die Herrschaft an sich riß, und daß die wesentliche Erkenntnis, zu der wir endlich gelangten, ihn nicht befreite und erlöste wie mich, dem sie ein Tor öffnete und ein Ziel zeigte, sondern, daß er in heimlichem Hader und dunkler Gespanntheit mehr und mehr mein Widersacher wurde.

Die sogenannte Emanzipation bildet zweifellos Epoche im Dasein der Juden, führte er aus, der Humanisierungswille des neunzehnten Jahrhunderts beendete ihr Pariatum. Jedes neue Jahrzehnt knüpfte festere Bande zwischen ihnen und uns. Äußerlich nur, zugegeben; solche des bürgerlichen Zusammenschlusses, wirtschaftliche, vaterländische sogar, in jedem Fall gesetzlich sanktionierte, vielfach auch in freiem Ermessen, schönem Vergessen, sittlicher Einsicht entstandene. Bedingungslos wurde die

Beziehung, bedingungslos menschlich, nur gegen Ausnahmeindividuen. Woran liegt die Schuld? Ist es deshalb, weil sie sich trotz alledem als Juden zu bewahren suchten? Warum aber? Solange sie Geächtete waren, war es ihr Recht, ihre Pflicht, ihr Schutz, ihre Waffe, das Mittel zur Selbstachtung und Selbstaufrichtung, sich zu verschließen, an der engen Gemeinschaft zu bauen, eine halb imaginäre, halb schwärmerische und um desto süßere, verführerische, tragisch-erhöhende Volkheit zu pflegen. Doch nachdem ihnen die Wege zur Gemeinschaft mit uns geebnet waren, veränderte sich wohl ihr geistiges Antlitz, ihre Spiritualität mit erstaunlicher Schnelligkeit; mit erstaunlicher Schwung- und Spannkraft machten sie unsere Notwendigkeiten zu den ihren, ihre zu den unseren, schmiegten sich den Forderungen des Staatswohls an, der öffentlichen Meinung, der Mode, widmeten ihre wunderbaren Talente der Kunst, der Wissenschaft, der sozialen Entwicklung, aber in ihrem Grund blieben sie Juden. Ich sage nicht, daß sie hätten Christen werden sollen. Das haben viele getan, aus Utilitätsgründen, oder weil sie sich nicht mehr verkettet fühlten, oder auch aus Überzeugung. Die Frage ist nur, ob sie Christen werden können, anders als im oberflächlichen Sinn, wie es ja die Mehrzahl der Christen selbst ist. Die Frage ist, ob sie deshalb aufgehört haben, Juden zu sein und dies in einem tieferen Sinn; man weiß es nicht, man kann es nicht kontrollieren. Ich glaube an ein Weiterwirken der Einflüsse. Judentum ist wie ein intensives Färbemittel; die geringste Quantität reicht hin, um einer unvergleichlich größeren Masse seinen Charakter zu geben oder wenigstens Spuren davon. Nicht zu leugnen, daß sie, wieder in einem gewissen Sinn, Deutsche geworden sind. Aber es steht dem etwas entgegen. Was mag es sein? Ist es das eigentümliche Beharren der Seele oder der Sinne im Kontrast zur Flüssigkeit, Mobilität, Vielgesichtigkeit des Geistes? Es beweist und erklärt zu wenig. Macht der Tradition ist es nicht, oder nicht ausschließlich, oder nicht mehr. Tradition wird überwunden und jeweilig gemildert durch das Diktat des Lebens; bildet als Disziplin einen wohltätigen Damm gegen Maßlosigkeit und Individualisierungsgier, hütet als politische Maxime Scheunengut und bewahrt die Nation vor überstürzten Neuordnungen. Aber gerade die Maßlosigkeit, gerade die Individualisierungsgier, gerade die Sucht nach Neuordnung muß man den Juden zum Vorwurf machen. Was ist es also?

Ich antwortete ihm, seine Gefahr und sein Unrecht läge in der Verallgemeinerung. Es gäbe solche und solche Juden. Alle Gesamturteile seien schief und führten zur Vergewaltigung, zur Verzerrung, zur Ausnützung im Dienste von Parteiinteressen. Warum nicht menschlich den Menschen sehen, nur den Menschen? Oft rufe man durch Mäkeln erst die Fehler hervor, und in der Wiederholung entstehe die Übertreibung. Man möge den Juden Zeit lassen, viele unter ihnen seien ihres Rechts zu atmen kaum bewußt, Verscheuchte, Verschüchterte, Umklammerte; immer neuer Zustrom aus trüben Behältern trübe die gereinigten wieder, viele seien gequält durch den latenten Haß, und ihre Entschlossenheit, sich zu opfern, treibe sie bis zur Selbstaufgabe; viele seien berauscht durch die ungewohnte Fülle von Raum und Entfaltungsmöglichkeit: Und wenn man ein jüdisches Tribunal imaginierte, so würde dort keiner freigesprochen, den ein christliches oder deutsches für schuldig hält. Aber ich spürte bei alledem, daß meine Parade den Hieb nicht fing, weil mein Standpunkt gegen den des Freundes ein zu niedriger war. Erst weit später, im Verfluß jahrzehntelanger Kämpfe, konnte ich mir seine Frage beantworten, dieses »Was ist es also?«, von dem ich sogar die Berechtigung geleugnet hatte, und das mich doch zur Aufrichtigkeit und Selbstdurchforschung gebieterisch trieb.

Seit man ihre Geschichte kennt, haben sich die Juden als das auserwählte Volk bezeichnet. Auch in allen ihren Mythen findet sich der Glaube an ihre Auserwähltheit und die Verkündigung davon. Ohne daß man die Zulänglichkeit oder Unzulänglichkeit der Gründe untersucht, auf welche sich dieser Glaube, diese Verkündigung stützt, ob auf die offenbare Lehre, ob auf das Verhältnis zu den geliebten Dingen, ob auf das historische oder mythische Schicksal, ist doch klar einzusehen, daß eine mit solcher Hartnäckigkeit durch die Jahrtausende festgehaltene Überzeugung einerseits ganz außerordentliche Pflichten nach sich zieht, die von der Gesamtheit niemals restlos erfüllt werden können, ferner ganz außerordentliche sittliche und moralische Spannung erzeugt, die wieder durch ihre notwendige Entladung eine Existenz voller Katastrophen schafft; und daß andererseits ein solches Axiom, wenn es als selbstverständliche Voraussetzung vor eine Existenz und an ihren Anfang gestellt ist, die sittliche Entwicklung lähmt, und an ihre Stelle den sittlichen Quietismus setzt, der zu Überheblichkeit und zum Pharisäertum führt.

Es ist die Tragik im Dasein des Juden, daß er zwei Gefühle in seiner Seele einigt: das Gefühl des Vorrangs und das Gefühl der Brandmarkung. In dem beständigen Anprall, in der Reibung dieser beiden Empfindungsströme muß er leben und sich zurecht finden. Es hat sich mir bei fast allen Juden, denen ich begegnet bin, bestätigt, und es ist der tiefste, schwierigste und wichtigste Teil des jüdischen Problems.

Man besitzt aber, einfach und menschlich betrachtet, ebensowenig Vorrang dadurch, daß man Jude ist, wie man gebrandmarkt ist dadurch, daß man Jude ist.

Mir wurde klar, daß ein Volk nicht dauernd auserwählt sein kann und sich dauernd als auserwählt bezeichnen darf, ohne die gerechte Ordnung in den Augen der übrigen Völker zu stürzen. Der auserwählte Einzelne ist stets in der Lage, die Verantwortung für sein Tun und Lassen zu übernehmen; im auserwählten Volk aber maßt sich der Einzelne nach und nach eine Rolle an, die ihm nicht zukommt, der er nicht gewachsen ist, und bei der er überredet wird, die Vorteile der Gesamtposition für sich geltend zu machen, die Verantwortung hingegen auf die Gesamtheit abzuwälzen. Selbst den Fall gesetzt, ein Volk sei auf Grund einer einmaligen grandiosen Leistung berechtigt, sich dauernd als auserwähltes Volk zu bezeichnen, wie wäre ein solcher Anspruch gegen die Kritik, gegen die veränderten Forderungen neuer Menschheit zu verteidigen und zu sichern? Wie wäre es möglich, den Komplex »Volk« abzugrenzen? Genügte das bloße Bekenntnis zu einem Glauben, um auserwählt zu sein? Das wäre schlechthin unsinnig und unsittlich.

Die Idee der Auserwähltheit hat, für ein Volk, Berechtigung nur innerhalb einer zeitlichen Begrenzung. Sowie sie aber aus der historischen Bedingtheit gerissen und gewissermaßen ins Unendliche gerückt wird, entsteht die Versündigung, während die persönliche Auserwähltheit im Unendlichen steht, im Unendlichen besteht.

10

Die Gespräche mit dem Freund, ein unaufhörliches Duell der Meinungen in den Formen des gegenseitigen liebevollen Interesses, hatten weitreichende Bedeutung für mich und stellten meine Gedanken- und Empfindungswelt auf eine viel breitere Basis. Es kam mir bisweilen vor, als ob ich mit der ganzen Menschheit Frieden schlösse, wenn ich mit ihm Frieden schloß, doch es war schwer die Bedingungen eines derartigen Friedens festzulegen, ja sie nur unmißverständlich zu umschreiben.

Die Entscheidung, vor die mich der Freund, weniger in Worten als durch seine Haltung stellte, war: Bist du Jude oder bist du Deutscher? Willst du Jude oder willst du Deutscher sein? Und mir war es damals gerade um diese Entscheidung zu tun; ich fand es zwingend, mich nach der einen oder andern Richtung zu entscheiden, obwohl ich den Weg nicht sah, den ich dann nach der einen oder

der andern Richtung gehen sollte. Was wurde für mich besser oder schlechter nach der Entscheidung? Und war das Wort allein, der Beschluß allein, die Richtungsänderung allein maßgebend? Ich suchte nach Vorbild und Beispiel, nach Ermunterung und Bestätigung bei denen, die mir vorangegangen waren, nach der einen oder andern Richtung, aber das Suchen war ergebnislos.

In meiner Jugend war Heinrich Heine in den geistig interessierten Kreisen Deutschlands noch ein mächtiger Name. War von jüdischer Leistung, jüdischem Vollbringen, jüdischem Ruhm die Rede, so wurde auf Heine hingewiesen. Durchaus nicht bloß Juden waren für Heine Feuer und Flamme; die Wirkung und der Einfluß dieses Poeten gingen in die breitesten Schichten, über das Künstlerische und Poetische hinaus ins Politische und Soziale. Und wie man weiß, gehört er zu den wenigen Deutschen, die in Frankreich Ansehen und Bewunderung genossen haben. Aufgeklärte und gebildete Menschen lasen Heine, zitierten ihn, beriefen sich auf ihn, und der Bogen der Verehrung spannte sich etwa von meinem kleinen studentischen Freund in München, der Dutzende von Heineschen Gedichten auswendig kannte und in witzigen Heineschen Wendungen schwelgte, bis zur Kaiserin von Österreich, die diesem ihrem Abgott einen Tempel bauen ließ. Es war mir unbegreiflich. Heute sehe ich darin den charakteristischen Ausdruck einer ganz bestimmten Zivilisationsverfassung, einer solchen nämlich, in der das Talent über das Menschentum prävaliert. In der zweiten Hälfte des neunzehnten Jahrhunderts wurde sozusagen der Altar des Talents errichtet, so wie in der zweiten Hälfte des achtzehnten Jahrhunderts der des Genies; der Begriff des Genies umfaßte aber damals auch die Menschlichkeit, in allen ihren Äußerungen, selbst den unerfreulichen, während der Talentkultus, unter dessen merkwürdigen und nicht leicht zu analysierenden Wirkungen unsere Welt noch heute steht, der isolierten geistigen Leistung gilt. Heinrich Heine ist geradezu das Schulbeispiel dafür.

Ich befand mich von Anfang an im Verhältnis des Widerstrebens, ja der heftigen Abneigung gegen Heine. Seine Lyrik erschien mir, gemessen an der von Goethe, Hölderlin oder Mörike, süßlich, spielerisch und roh sentimental; seine Prosa erregte meinen Haß durch ihr Bestreben nach geistreicher Pointe, durch ihre Mischung von Frivolität und rohester Melancholie; seine kritischen, polemischen, politischen Schriften fand ich zum Teil seicht und von oberflächlicher Brillanz, zum Teil unwahrhaftig und eitel. Für das Satirische, das ihre stärkste Qualität ausmacht, hatte ich wenig Verständnis, und die sogenannten letzten Gedichte, in denen aufrichtige und ergreifende Töne sind, waren mir verdächtig durch ein gewisses Sichgefallen im Schmerz.

Zweifellos waren sowohl mein Urteil als auch mein Gefühl ungerecht. Die Ungerechtigkeit, der ich in mir freien Lauf ließ, hatte wohl ihren Grund darin, daß etwas unantastbar, nachahmungswürdig und mustergültig sein sollte, was ich für schädlich und zerstörend hielt. Es sind in neuerer Zeit so viele Ankläger und Verächter Heines aufgetreten, mit guten und schlechten Argumenten, meist aber mit schlechten, mit reinen und unreinen Wassern, meist aber mit unreinen, daß ich nur mit Überwindung und weil dieses Stück Wahrheit eben zur ganzen Wahrheit gehört, mich entschlossen habe, das Thema zu behandeln. Daß die blinden Hasser und die böswilligen Agitatoren unrecht haben, beweist nicht, daß Unrecht überhaupt geschieht. Verschweigen und Schönfärben macht eine schwache Sache nicht stark. Was mir an Heine wider das Blut ging, war vielleicht das Blut. Seine zeitbedingte Erscheinung war im zeitbedingten Sinn jüdisch, und das Auffallendste an ihr ist das schroffe Nebeneinander von Ghettogeist und Weltgeist, von jüdischem Kleinbürgertum und Europäismus, von dichterischer Imagination und jüdisch-talmudischer Vorliebe für das Wortspiel, das Wortkleid, das Wortphantom, welch letztere Mischung man nun fälschlich als romantische Ironie bezeichnet hat, während sie ein Ergebnis fabelhafter jüdischer Anpassung und dabei tiefer innerer Lebens- und Weltunsicherheit ist. Aus dieser Quelle fließt dann auch die journalistische Befähigung, wie denn Heine der eigentliche Schöpfer, wenn auch nicht des Journalismus, so doch seiner Abart, des Feuilletonismus, genannt werden kann, dieses unglücklichen Surrogats von Kritik, Betrachtung, Urteil und stilistischer Form, Narkotikum für eine niedergehende Gesellschaft und Mittel, Verantwortungen zu verschleiern.

Heine war sicher in voller Naivität Jude; er war auch in voller Naivität Deutscher. Er beklagte sein jüdisches Schicksal und sein jüdisches Leid und verriet den Juden in sich. Er gab sich als deutscher Patriot, deutscher Emigrant, als Deutscher von Geblüt und Wahl und verriet den Deutschen in sich. Auch dies, wie ich überzeugt bin, in voller Naivität. Er war der Talentmensch, katexochen, ohne göttliche Bindung, ohne wahre Zusammenhänge, unheilvoll isoliert, durchaus auf sich selbst gestellt, auf sein einsames Ich, ohne Mythos, ohne Mütter, ohne Himmel und deshalb auch ohne Erde. Wenn man mir ihn pries, fühlte ich mich stets verraten; wodurch, kann ich kaum erklären, aber mir schien, daß ich am andern Pol stand und daß ich ihn, sein Tun, sein Bild, seinen Einfluß erst besiegen mußte, ehe mein Tun, mein Bild, mein Einfluß beginnen konnte. Allen Juden schmeichelte der Name Heinrich Heine; mir schien es hingegen, daß sie ihn hätten fürchten sollen, da er sie vom geraden und fruchtbaren Weg verführerisch ablenkte und auf Jahrzehnte eine entstellte Figur des jüdischen Menschen und des jüdischen Deutschen gab. Es wurde mir gesagt: Warum hältst du dich an Heine, warum blickst du nicht auf die, die deinen Widerstand weniger oder gar nicht herausfordern? Da ist Felix Mendelssohn, da ist Börne, da ist die wunderbare Rahel, da ist Disraeli, da ist Lasalle und Marx, da ist schließlich Spinoza, Menschen von großem Zuschnitt, der letzte vom allergrößten, nicht Jude mehr, herausgetreten aus dem engen Rahmen der Konfession und Sekte, Mensch an sich, Leuchte der Zeiten! Ich lernte auch auf sie hinblicken. Lockung und Gefahr war auch an ihnen, aber sie ordneten sich williger in die Folge der Gesichte und Erlebnisse. Heine schloß zunächst zuviel des Gegenwärtigen ein und aus; er war die Wunde, die ich vor kurzem erlitten hatte.

Ich heilte sie durch Geister von entgegengesetzter Prägung. Es würde zu sehr ins Breite führen, wenn ich sie hier aufzählte und von Cervantes bis Turgeniew und Dostojewski, von Dickens, Thackeray, Richardson und Balzac bis Keller, Gotthelf, Arnim und Kleist ihre Wirkungen schildern wollte; den leidenschaftlichen Anteil, die Begierde nach Leben und Lebendigkeit, Kunst und ihrer Form, das Anklammern an die gewaltigen Herzen, die Anbetung und glühende Hingabe. Ich suchte in ihnen und bei ihnen die Welt, die Zeit, die Menschheit, die Gestalt, das feurige, flüssige Unaussprechliche, das wie ein geistiger Golfstrom die Gestade der Seele umschlingt. Nebenbei beschäftigte ich mich viel mit geschichtlichen Studien, indem ich vom Allgemeinen immer mehr ins Einzelne ging, teils aus Neigung für das persönlich Schicksalhafte, teils aus Hunger nach Stoff und Lebensmaterial, und außerdem mit Astronomie, ganz dillettantisch, ja phantastisch, aus Sucht nach hohen Erschütterungen sowohl wie aus Überdruß an der verzweifelten Enge und Ausblicklosigkeit meiner Umstände.

11

Allmählich wurde ich dem Freund lästig. Ich wußte nichts mit mir anzufangen, Aussicht auf Broterwerb hatte ich nicht, denn ich hatte nichts Rechtes gelernt und eignete mich zu keiner praktischen Tätigkeit. Die dürftigen Hilfsmittel des Freundes waren völlig versiegt, in der Not knüpfte er frühere Bekanntschaften wieder an, und eine Zeitlang hielten wir uns mit deren Bestand über Wasser, was das Schlimme mit sich brachte, daß wir die Freiheit verloren und wieder in ein fades und vergiftendes Gelag- und Kneipenwesen gerissen wurden. Ich war den Leuten aus irgendwelchen Gründen unsympathisch, und als ich gelegentlich einer Fahrt auf dem Züricher See durch einen Windstoß meinen alten Strohhut einbüßte, wurde ich außerdem noch lächerlich. Der Freund, verängstigt und feig geworden, gab mich preis, und mir war im Ring der Feinde übel zumute. Es wurde beschlossen, daß ich bei einer Zeitungsredaktion Anstellung zu suchen hätte. Man schrieb mir Adressen auf und schickte mich mit einem geliehenen Filzhut tagelang herum. Die Unlust war auf meine Stirn geschrieben, um keinen Preis wollte ich Journalist werden, mein Aussehen mag ebenfalls keine Empfehlung gewesen sein, und so kehrte ich von jedem Gang unverrichteter Dinge zurück. Da hielten sie Kriegsrat und gelangten zu dem Ergebnis, erstens, daß mir ein neuer Hut gekauft werden sollte, zweitens, daß durch eine Sammlung das Fahrgeld aufzubringen sei, dessen ich zur Reise nach München bedurfte. In München lebte damals mein Vater. Es geschah so; ich glaube, es waren etwa zwanzig Franken, die außer dem Hut zusammenkamen; davon lösten sie am Bahnhof das Billett bis Lindau, der Restbetrag wurde mir eingehändigt. Der Abschied vom Freund war lau und bitter, soweit ich mich entsinne. Ich entsinne mich auch, daß ich auf der Fahrt zwischen Zürich und dem Bodensee von Hunger ergriffen wurde; ich konnte der Verlockung, mich nach langer Zeit wieder einmal satt zu essen, nicht widerstehen und nahm von dem zur Weiterreise bestimmten Geld. Als ich auf dem Lindauer Bahnhof stand, einige Minuten vor Abgang des Münchener Zuges, muß ich als mitleidswürdige Figur aufgefallen sein, denn ein alter Schaffner trat zu mir, ließ sich in ein Gespräch mit mir ein, und nachdem ich ihm gestanden hatte, daß ich das Geld zur Reise nicht hatte, ließ er mich einsteigen und drückte mir während der Fahrt das Billett in die Hand mit den Worten, er vertraue meinem ehrlichen Gesicht, daß ich ihm die Auslage wiedererstatten werde. Auf das Billett hatte er seine Münchener Wohnung geschrieben, die merkte ich mir; und die Menschenfreundlichkeit des Schaffners hatte eine schreckliche Szene zwischem mir und meiner Stiefmutter zur Folge. Ich ging sogleich in die Wohnung des Vaters; der Vater war verreist; ich sah an allem, daß er sich in der ärmlichsten Lage befand, trotzdem bat ich die Frau, sie möge mir das Geld für den Schaffner geben, es waren vielleicht zehn oder zwölf Mark. Sie weigerte sich mit Heftigkeit; ich beharrte und wurde dringlicher; sie geriet außer sich, überschüttete mich mit Vorwürfen und Beschimpfungen und verwies mir das Haus. Da schwand mir die Besinnung, ich langte nach einem Küchenmesser und schritt drohend auf sie zu; nun wurde sie auf einmal nachgiebig, sei es, daß mein Anblick sie in Furcht versetzte, sei es, daß sie meine Verzweiflung instinktiv erfaßte; nach einer Weile brachte sie mir ein silbernes Armband, das meiner Mutter gehört hatte und sagte, ich möge es versetzen.

Danach war natürlich jede Verbindung mit meinem Vater zerbrochen, und er schrieb mir nach seiner Rückkehr nur ein paar Zeilen, die mich durch einen ihm sonst nicht eigenen kargen Ausdruck des Kummers bewegten. Dies alles sei berichtet, weil ich sonst die Periode meines Lebens, die sich unmittelbar an dies Zerwürfnis schloß, nicht gut erklären könnte; denn es waren Monate so vollkommener Einsamkeit und Verlassenheit und so erdrosselnder Not, wie sie selbst in einer modernen Großstadt selten sind, und die zu ertragen eine nicht gewöhnliche Widerstandskraft notwendig war. Ich lebte von Äpfeln, von Käse und von Salat. Den Salat fand ich morgens in einer Schüssel vor der Tür meines Mansardenlochs; eine Frau, die mir gegenüber wohnte und von meiner hilflosen Lage Kenntnis erlangt hatte, übte auf diese zarte Manier Mildtätigkeit. Als ich ihr eines Tages dankte, schüttelte sie stumm den Kopf. Ich hätte aber selbst so nicht weiterleben können, wenn mir nicht mein Vater hier und da einen Brief geschickt hätte, in den er ein paar Marken gelegt hatte, die ich veräußerte; er mußte es heimlich und ohne Wissen seiner Frau tun. Ferner machte ich die Bekanntschaft eines Archivars, Streber, Ordensjäger und Geschichtsforscher *ad usum delphini*, der mich eine Zeitlang als Abschreiber verwendete. Es war dies ein gewissenloser Menschenschinder, wie man sie nicht selten unter subalternen Beamten trifft; es machte ihm zynisches Vergnügen, aus meiner Bedrängnis Nutzen zu ziehen und seine Macht zu mißbrauchen; selbst in gedrückter Stellung, war es Lust für ihn, über einen noch Gedrückteren unumschränkter Herr zu ein. Wenn ich eine Woche lang seine Exzerpte kopiert und ihm zehn bis fünfzehn Bogen abgeliefert hatte, zahlte er mir nach Willkür und Laune einen bis anderthalb Taler. An manchen Tagen verdiente ich mir zwanzig oder dreißig Pfennig mit Schachspielen in einem Winkelkaffee, wobei ich darauf bedacht sein mußte, daß ich mich nicht in einen Kampf mit stärkeren Spielern einließ. Daß ich körperlich immer mehr herunterkam, bedarf keiner Erwähnung; es stellten sich Magenblutungen ein, und ich verordnete mir eine strenge Reiskur, die mich auch wirklich heilte. Im Äußeren war ich völlig vernachlässigt, obwohl ich alle Sorge darauf richtete, ohne Löcher, Flecken oder Flicken herumzugehen. Innerlich begab sich etwas Sonderbares mit mir: Ich geriet in einen Zustand halb quälender, halb beglückter Spannung, aus der sich langsam Gestalten, Bilder und

Vorgänge lösten. Mein tägliches Dasein war ein erregter Traum; die Nächte über saß ich bei der Arbeit und schlief nur wenige Stunden. Die Einsamkeit, der gänzliche Mangel an Umgang und Aussprache bewirkten eine wiederkehrende und schließlich latente, rauschhafte Verzükkung, die bisweilen mit einer ebenso rauschhaften, langdauernden Angst abwechselte. Ich hatte Halluzinationen, redete laut vor mich hin und erinnere mich, daß ich einmal von zwölf bis drei Uhr nachts im Herbstregen durch die Straßen rannte, von Grauen erfüllt, weil ich einen Verfolger hinter mir glaubte, einen unversöhnlichen Feind, dessen Gesicht und Gestalt mir irgendwie genau bekannt waren.

Dergleichen geschah öfter. Dennoch war ich keineswegs verzweifelt, im eigentlichen Wesen jedenfalls nicht, auch nicht verbittert oder anklägerisch oder menschenhassend. Ich denke nicht, daß ich mich einer nachträglichen Verklärung schuldig mache, wenn ich sage, daß die äußeren Leiden an mir niederrannen wie Wasser an einer geölten Wand. Ich fühlte einen unerschöpflichen Vorrat an Kräften in mir. Was ich äußerlich zu erdulden hatte, schien mir in keiner Beziehung zu dem zu stehen, was ich innerlich war. Ich setzte dem zu Erduldenden Geduld entgegen, sonst nichts. Es war nicht eben Zuversicht, die mich stark machte; zur Zuversicht gehört bewußtes Selbstvertrauen; das hatte ich nicht, auch der Arbeit gegenüber nicht, die mich zwar in Flammen sah, an der ich aber die Unreife und Unzulänglichkeit spürte, kaum daß die Flamme ausgebrannt war, so daß ich mit einer fast nüchternen Beharrlichkeit wieder zum Anfang schritt. Es ist natürlich schwer, nach Jahrzehnten rückschauend alle Situationen einer Entwicklung wahrheitsgemäß zu untersuchen, ohne einem gewünschten Bild zu schmeicheln, doch wie ich auch mich und jene Zeit in mir prüfe, zwei Tatsachen bleiben mir unverrückbar: erstens, daß ich mitten in einer deutschen Stadt in einem Verhältnis zur Welt stand wie Robinson auf seiner Insel; zweitens, daß ich diese dauernde und düstere Isolierung nur ertrug, weil ich wie die Seidenraupe in einem Schutzapfel lebte, in einem animalischen Hindämmern, Hinwarten, aufs heftigste empfindlich wohl für alles, was mit mir sich begab, für Menschen, Dinge, Stimmen, Farbe, Ton, Wort und Hauch, aber doch nur traumempfindlich, gleich einem, in dem sich etwas erschafft, woran er bloß den Anteil hat, der durch seine Existenz gegeben ist, während er sonst Werkzeug bleibt.

12

In sozialer Hinsicht mußte ich mich als Geächteter fühlen; ich war es auch, denn ich lebte so. Wer aus der Tiefe emporkommt, neigt, wenn er eine gewisse Höhe erlangt hat, gern dazu, seine finsteren Erfahrungen mit einem Goldsaum zu umbrämen. Er vergißt die Niedrigkeit um so bereitwilliger, als sie ihn gezwungen hat, niedrig zu sein, niedrig zu denken, niedrig zu handeln. Das ist unvermeidlich, und der es leugnet, lügt. Es erfordert im günstigsten Fall eine lange Zeit und lange sittliche Arbeit, damit die Seele von dem Schmutz und Unrat gereinigt wird, mit dem sie beworfen worden ist, mit dem sie sich befleckt hat. Es ist geradezu eine Erneuerung nötig, und erst, wenn Erneuerung stattgefunden hat, wird Sinn und Frucht des Leidens offenbar. Der Mensch in der Qual ist gar nicht fähig, Erfahrungen zu machen und Resultate zu ziehen; ein angstvoller Geist kann weder lehren noch formen. Der Zuschauerirrtum, der dem Elend zeugende Macht zuschreibt, entsteht daher, weil die zahllosen im Elend Versunkenen keinen Einwand gegen dieses freche Luxusdiktat erheben können. Entkommt einer der Gefahr, so darf er die Gefahr preisen; der Gesicherte bescheide sich, selbst wenn er die rühmt, die für ihn ihre Haut zu Markte tragen.

Am Rand der Gesellschaft stehend, haarbreit neben dem Abgrund, galt ihr meine Sehnsucht. Das Verlangen, von ihr aufgenommen und anerkannt zu werden, als Gleicher unter Gleichen, überwog jedes andere. Die Frage, ob Jude oder Deutscher, war zunächst unwichtig geworden gegen die, wie ich zu den Menschen kommen konnte. Mir ahnte manchmal, als sei ich im Begriff, das abzuzahlen, was am Judentum als Schuld und Odium hing, ich für meinen Teil, und als werde das irgendwie augenscheinlich und beweisbar werden. Es trat eine Reihe von Zufällen ein, von Frist zu Frist, die meiner materiellen Engnis kein Ende bereiteten, wohl aber der nachtschwarzen Hoffnungslosigkeit, vor allem das verschlossene Tor sprengten, vor dem ich geharrt und gewacht hatte, und Wege des Geistes freigaben.

Ich wurde Sekretär bei einem sehr geschätzten Schriftsteller, der, obwohl nicht mehr jung, die Sache der Jungen zu seiner Sache gemacht hatte und dadurch allerdings mit der angeborenen Begabung in Zwiespalt geriet, die ihn mehr in bürgerlich-behagliche Bahnen wies. Er diktierte mir seine Romane und Erzählungen, und als ich es nach einiger Zeit wagte, ihm eigene Arbeiten zur Prüfung vorzulegen, zeigte er seine Überraschung, an der ich merkte, daß ich nicht taube Nüsse klopfte. Er war der erste Mensch, der mich ermunterte, der erste überhaupt, der mich als Dichter uneingeschränkt ernst nahm, und das bedeutete für mich soviel wie Rettung und Erlösung. Aber er tat mehr. Er warb und wirkte für mich und jene sehr unfertigen, sehr fragwürdigen Gebilde; er scheute nicht Spott und Abwehr, ja Spott und Abwehr reizten ihn zu bedingungslosem Enthusiasmus, und als Heißsporn, der er war, begab er sich in Fehden; ich wurde unversehens ein Objekt von Für- und Widermeinung, was mich eher verzagt als stolz machte.

Aber die Brücken betrat ich, die mir geschlagen waren, und schnell sah ich mich in die Verwirrungen der Welt gerissen. Das heißt, ich nahm für die Welt, was nur ein

Zerr- und Scheinbild der Welt war; sie täuschte Freiheit, Weite und Würde vor, und sie war gebunden, eng und platt. Als ich längst keine Illusionen mehr über sie hatte, war doch das, was ich hier unter Welt verstehe, nicht auffindbar, und je größer mein Bemühen um sie, mein Verlangen nach ihr wurde, je schattenhafter erschien mir ihre Existenz. Und gleichwohl war sie mir notwendig, wenn nicht meine eigene Existenz eine schattenhafte sein sollte.

Der Kreis des literarischen Lebens umfing, damals wie heute, bei uns wie bei jeder Nation, Repräsentanten aller Stände und Schichten. Es liegt nahe, an eine Auslese der Besten und Fähigsten zu glauben; dem ist nicht so. Es liegt nahe, an eine Gemeinschaft zu glauben, die sich auf höchster Ebene zusammengefunden hat als der breiten Alltagsfläche und die, eben durch die vollzogene Auslese, durch Tun wie durch Sein vorbildlich ist. Dem ist nicht so. Es hat sich keine Auslese vollzogen, es ist keine Gemeinschaft entstanden, es ist ein zufälliges In-, Mit- und Gegeneinander mehr oder weniger begabter, mehr oder weniger guter, mehr oder weniger zielbewußter, ehrgeiziger oder verbitterter oder entzündlicher einzelner. Es sind in der Mehrzahl Entlaufene, Entgleiste, sozial Verwundete und Kranke; Exponierte alle. Ihrem Zirkel, ihrer Erde sind sie alle entflohen, nicht um frei zu sein, sondern freischweifend, ob es nun Proletarier, Bürger oder Aristokraten sind. Sie bauen daher nicht auf einem gegebenen Fundament; sie müssen sich das Fundament erst errichten, und zwar jeder für sich und auf seine Weise. So vergeuden sie von vornherein Blut, Kraft und Geist für etwas, das Voraussetzung und Mitgift sein sollte. Sie zersplittern sich, ummauern sich, keiner hat die Bindung mit dem Volk, den Rückhalt an ihm, ja, das Volk verargwöhnt und verleugnet sie, es ist keine Mitte da, keine Übereinkunft, kein Vertrauen vom einen zum andern, nicht einmal Respekt vor der Arbeit oft, und auch wo wahrhaft Berufene sich vereinen, bilden sie Partei und hochmütige Sippe.

Genossen hat man bald, solche, die dasselbe meinen wie du, sogar dasselbe sagen. Aber sich im Redeaustausch vertragen und die geistige Kontinuität bewahren, ist zweierlei. Eifersucht lauert stets unter der Schwelle, Kleinlichkeit, Neid und Spott. Die Erfolglosen und die Erfolganwärter machen geschlossene Phalanx gegen die, die den mindesten Vorsprung haben, und es bedarf schon einer überwältigenden Persönlichkeit, um den Zweifel der Unsachlichen, sie sich sachlich gebärden, niederzuschlagen. Dieser Zweifel kommt aus Verzweiflung oder führt zu ihr, und die Verzweiflung weist auf mangelnde Zucht und Mangel der Idee, Mangel der Übereinkunft und Mangel der Verantwortung. Ich erlebte es, daß frenetische Begeisterung um einen Namen lärmte, der sich dann nur in einen lebendigen Menschen zu verwandeln brauchte, um Abkühlung und Einschränkung hervorzurufen. Fremdheit hielt stand; Distanz allein gab Glorie und bewahrte sie, sonst wurde alles zur Politik des Augenblicks mißbraucht.

Ich selbst werde wohl nicht besser gewesen sein. Die Luft, die man atmet, färbt die Haut. Aber es wurmte mich die verlorene Illusion. Es wurmte mich das kleine Maß, das die Wirklichkeit mich anzulegen zwang. Es wurmte mich das Nichtbesserseinkönnen und Nichtbesserwerdenkönnen, und es wurmte mich schließlich die Maske, die ich tragen mußte, wenn höherer Wille und höhere Rücksicht Dissimulation forderten. Die lernt sich schwer, und in ihrer feinsten Form ist sie dann doch wieder ein Gebot der Menschlichkeit; nichts ist roher und zweckloser, als mit dem Wahrheitsanspruch und der Wahrheitsfackel Gemüter zu beunruhigen und zu verwirren, die nur in Dämmerung und Täuschung noch ein unsicheres Glück genießen. Das zu vermeiden und doch, in einem andern Sinn, wahr zu sein, ist eine Aufgabe für sich, die allerdings aus dem Bezirk des Literarischen heraus in den der Selbsterziehung und der Liebe tritt. Auch Liebe ist nicht angeboren, auch Liebe muß man lernen.

Die Entmutigung, die mich oft inmitten des Höllenkessels von Geistigkeit und Herzenstaubheit, Anmaßung und wesenloser Opposition überfiel, die Scham über all die polternden, stolpernden Selbste, zu denen nun auch ich mich jetzt zählte, in denen ich aber von fern die entrückten Bewohner eines magischen Gartens gesehen hatte, veranlaßten mich bisweilen zu der Frage, ob die enge Auffälligkeit, der Brothader im Ringen um allgemeine Ziele, die provinzielle Dumpfheit und das brutale Strebertum, das Mißtrauen und vorgesetzte Mißverstehen, wo es um Werk, um Vollkommenheit, um Ineinanderwirken, um Ideenhaftes ging, um Gedanken und Gestalt, ob das eine deutsche Eigentümlichkeit, deutsche Krankheit sei, oder ob es ein Ergebnis des Metiers als solchem war, die dunkle Kehrseite, und in anderen Ländern nicht anders als hier. Ich machte die Bekanntschaft eines jungen französischen Schriftstellers, und mit ihm erlebte ich folgendes: Ich hatte mich ihm genähert, wir hatten fruchtbare Gespräche miteinander geführt, und bei einer schicklichen Gelegenheit gab er mir ein von ihm verfaßtes Buch mit einer freundschaftlichen Widmung. Kurze Zeit darauf geriet ich in eine drückende Notlage, in der mein letztes Hilfsmittel dieses Buch war, das ich beim Antiquar für ein paar Groschen veräußerte. Mit ein paar Groschen konnte ich ein bis zwei Tage leben. Da wir in demselben Hause wohnten, war ein Zusammentreffen mit dem Franzosen trotz meines schlechten Gewissens nicht zu vermeiden, und von einem bestimmten Tag an bemerkte ich, daß sich sein Benehmen gegen mich verändert hatte; er hatte etwas Traurig-Scheues und Stumm-Vorwurfsvolles, wenn er mir begegnete; ich wußte seine Miene und Haltung nicht zu deuten, zog mich selber zurück, bedauerte die Entfremdung, und erst, als er abgereist war, löste sich mir das Rätsel auf ebenso peinliche wie überraschende Weise. Er hatte nämlich bei dem Antiquar, bei dem ich es verkauft hatte, sein Buch gefunden, noch mit der Widmung, denn nicht einmal soviel Klugheit und

Takt hatte ich in meiner verhärtenden, verrohenden Bedrängnis aufgebracht, dies Zeichen einer persönlichen Beziehung vorher zu verlöschen. Er hatte gewartet bis zu seiner Entfernung aus der Stadt; nun schickte er mir das Buch wieder und mit ihm einen Brief. Dieser Brief war ein Dokument zartester Delikatesse und zugleich vornehmster Gesinnung; es ist mir kaum je ein ähnliches unter die Hände gekommen; es hat mich auch kaum je ein Mensch auf so profunde Manier belehrt und auf so feine beschämt. Was mich zu dem häßlichen Schritt getrieben, hatte er erraten; daß er sich verletzt gefühlt, verschwieg er; zum Vorwurf machte er mir den Mangel an Vertrauen. Er schrieb ungefähr: »Kommen Sie nach Paris. Es gibt dort vielleicht manches, worüber Sie sich zu beklagen haben werden, manches, was in Ihrem Vaterland anziehender, solider, gesünder ist, aber eines werden Sie dort unter den Leuten von Geist und Menschen unseres Berufs finden, was ich in Deutschland in einem schmerzlichen Grad vermißt habe: wahre Kameradschaft, Courtoisie, unbedingte gegenseitige Achtung!«

Es ist mir dies später bestätigt worden. Die Kenntnis romanischen Geistes- und sozialen Lebens läßt es von innen her verstehen. Das deutsche Wesen ist Zerstückelung; Zerstückelung bis ins Mark; deutsche Entwicklung geht von Ruck zu Ruck; Epochen des Reichtums und der Blüte münden jäh in eine Ödnis; große Erscheinungen sind unbegreiflich abseitig; zwischen bewegten Teilen fehlen Vermittlungen und Übergänge, so daß an ein lebendiges Glied ein totes angenietet und Kaste von Kaste durch unübersteigbare Mauern geschieden ist. Ein Zentrum gibt es nicht und hat es nie gegeben, die vier Jahrzehnte des geeinten Reiches haben nicht einmal eines der Verwaltung geschaffen; der Künstler, der Dichter, konnte er nicht als Beamter subordiniert werden, so war er ein verlorenes Individuum, und seine Position hing vom Ungefähr des ökonomischen Gelingens ab. Die eine Schicht der Gesellschaft verdammt, was die andere preist; Traditionen brechen über Nacht, Bildung vernichtet das Bild, Gelehrsamkeit die Lehre, Gesinnung den Sinn, Erfolg die Folge, Liebhaberei die Liebe, Betriebsamkeit den Trieb.

Alles dies erfuhr ich und mußte es erfahren, da es ja meiner Natur auferlegt war, daß sie sich sozusagen des ganzen Körpers bemächtigte. Ich war nun dem umrißlosen Dämmern entwachsen; ich hatte mir meine Formen, meine Inhalte zu suchen; was von ihnen mitgeboren war, bedurfte der Relation zum Realen und der Ergänzung zu ihm. Es zeigten sich Aufgaben; ich fühlte mich zum Epiker berufen; als solcher bestand ich mit meiner Zeit und durch meine Zeit. Symbol und Idee wurden von der Inspiration, der Phantasie gegeben; Farbe, Schwung und Leidenschaft kamen vom Blut her, von der Anschauung, der inneren Temperatur; wie aber war es um das Außen bestellt, um alles das, was mir Nahrung, Anlaß, Gerüst, Baugrund, »Stoff« sein sollte? Da gab es weder eine Einheit noch eine Form, weder ein Übereinkommen noch ein organisch Entstehendes. Stück um Stück, Person um Person, Stadt um Stadt setzte sich deutsches Leben mittelpunktlos zusammen. Der Franzose braucht nur hinzuschreiben: Paris, und er hat, eingeschlossen in eine Wortnuß, ein Ungeheures von Begebenheiten und Entfaltung, das Siegel gleichsam für die Tatsache Gesellschaft, für die Tatsache Nation, für die Tatsache Frankreich. Er besitzt damit eine ganz bestimmte Menge von Voraussetzungen, und zwar erlesenen Voraussetzungen, die schon in den Händen und Geistern der vor ihm Gewesenen ihre Distinktion, Gestalt, Glaubwürdigkeit und gültige Prägung erhalten haben. Dem Engländer liegt eine seit Jahrhunderten gebahnte Straße öffentlichen und privaten Lebens vor, unumstößliche Konventionen; der Italiener ist gedeckt durch Beziehungen zu großer Vergangenheit, die ihn immer noch trägt, durch mitwirkende Landschaft, mitwirkende Sprache und als Schaffender der Ehrfurcht auch des Geringsten im Volke stets gewiß; in Rußland wird Überlieferung und fertige Lebensgestalt ersetzt durch eine eigentümliche Freiheit und Urbanität der Führung: Mensch steht unmittelbar gegen Mensch, bizarr selbstverständlich und verwirrend oft, da ein kastenmäßiges Sichabschließen und Standesunterschiede in unserem Sinne nicht existieren und nie existiert haben.

Der Deutsche allein muß »dichten«, wenn er gesellschaftliche Gebundenheit und Gliederung, wenn er Gesellschaft überhaupt, wenn er Schicksale in bezug auf Gesellschaft darstellen will. Weicht er dem aus, so zerfließt ihm alles im Unbestimmten, Zufälligen, Phantastischen. Entweder seine Wirklichkeit wird unglaubwürdig, weil übersteigert, krampfhaft vereinfacht, willkürlich umgebogen, oder sie bleibt klein, unmaßgeblich und ohne typische Prägung. So ist auch, was sich im ›Wilhelm Meister‹ als Gesellschaft zeigt, durchaus »gedichtet«, Synthese, Übertragung, Schema. Keine Literatur schleppt solchen Ballast von Entwicklungsgeschichten, Sonderlingsgeschichten, Zuständlichkeiten, poetischen Kuriositäten mit sich wie die deutsche. Größe, Charakter, Bedeutung können dem deutschen Roman in seiner höchsten Stufung immer erst durch den Schöpfer verliehen werden, der in viel weiterem Ausmaß, als man ahnt, Erfinder, Verdichter, Dichter sein muß. Der deutsche Roman ist in erster Linie individuell (meist auch provinziell), während der englische oder russische in erster Linie national ist und daher auch für die Nation repräsentativ.

Niemals kann auch ein deutscher Dichter, und nun gar ein Romandichter (den Begriff gibt es erst seit zwanzig Jahren, vordem haben die Professoren nicht gestattet, daß man einen Romanschreiber Dichter nenne), im selben Sinn die Nation repräsentieren wie etwa Balzac Frankreich, Dickens England, Tolstoi Rußland repräsentiert hat. Der deutsche Epiker hängt in der Luft, er spielt im Dasein des Volkes keine Rolle, und zwingt er das Augenmerk und die Herzen dennoch zu sich, so spürt er zugleich einen sonderbaren öffentlichen Widerstand, eine ebenso sonderbare heimliche Abwehr, als ginge dies gegen den Ernst und die Würde.

Die Schwierigkeit, vor der ich mich sah, war gewaltig. Wie sollte ich eindringen in die vielfach abgegrenzten Zirkel? Wie über die flache Wahrheit des bloßen Sehens hinaus zur tieferen der Anschauung gelangen? Ich stand an der Peripherie; Hunderte wie ich dorthin verwiesen, setzten darein gerade ihre Ehre, ich aber hatte da nichts zu suchen, ich brauchte die Mitte oder wenigstens das Segment, ein Mittleres, einen Durchschnitt, den einfach seienden Menschen und seine noch nicht in Spiegeln aufgefangene Bewegung; ich brauchte Anschluß, menschliche Wirkung, soziale Erfahrung, eine Tragfläche, ein umschlingendes Band. Statt dessen fand ich mich zurückgeworfen und isoliert unter dreifach erschwerenden Umständen: als Literat; als Deutscher ohne gesellschaftliche Legitimation; als Jude ohne Zugehörigkeit.

13

Als ich im Alter von dreiundzwanzig Jahren die ›Juden von Zirndorf‹ schrieb, griff ich einerseits zurück in Urbestände, Ahnenbestände, in Mythos und Legende eines Volkes, als dessen Sprößling ich mich zu betrachten hatte, und wollte andererseits auch das gegenwärtige, das werdende Leben dieses Volkes in einem Mythischen, sehr vereinfachenden, sehr zusammenfassenden Sinn gestalten. Realen Boden für beides gab mir die Landschaft, die mich hervorgebracht, die fränkische Heimat.

Ich schrieb das Buch ohne wissentliche Überlegung, wie man einen Traum erzählt oder wie unter einem befehlenden Diktat. Wenn mir einer gesagt hätte: das ist der bare Unsinn, was du da machst, wäre ich vielleicht erschrocken, aber eigentlich überrascht hätte es mich nicht. Es entstand auf Wegen der Flucht, in Tirol, am Bodensee, in Eichstätt, dann wieder in einem tristen, entlegenen Münchener Atelier mit einer Katze als einziger Genossin; das Manuskript trug ich in kleinen Zetteln voll winziger Zeilen beständig in der Brusttasche. Die äußere Lage war die mißlichste; zur gewohnten materiellen Not kam noch eine des Herzens; ich war abenteuerlich verstrickt und Verfolgungen ausgesetzt, wie sie sonst nur in Zehnpfennigromanen geschildert werden. Dicht vor den Schluß gediehen, blieb das Buch monatelang liegen; erst in einer Fieberkrankheit, in verzweifeltem Wunsch nach einem Ende in jeder Beziehung warf ich die letzten Kapitel hin.

Es war Aussprache, Bekenntnis, Befreiung von einem Alp, der meine Jugend zermalmt hatte. Für viele in Verwandlung Begriffene war es Mitbefreiung, und sie fühlten sich bestätigt. Ich trat von Anfang an mit offenem Visier auf, das gewann mir Unentschiedene und Mutlose; manche wandten sich mir begehrlich fordernd zu, umsturzlüstern und gaben sich als Jünger, doch konnte ich ihre Erwartungen nicht erfüllen, da ich nicht im Geleise blieb, das sie mir vorgezeichnet hatten. Andere lästerten; ich galt ihnen als Abtrünniger, sie liebten in diesem Bezug keinerlei Öffentlichkeit des Verfahrens und fanden jede Politik außer der des Schweigens töricht und schädlich. Die deutsche Welt verhielt sich gleichgültig, oder ablehnend bis auf einige unbürgerliche Gruppen, die für die Dichtung als solche und ihre Gestalten empfänglich waren; im allgemeinen begnügte man sich damit, das Buch einzuordnen und es im Museum der Literatur einstweilen bestehen zu lassen. Den Aufsichtsbeamten der Kunst und des Geschmacks war ich ein Greuel.

Daß der eingeschlagene Weg in Wildnis führte, erkannte ich selbst. Die Frage: wie willst du zu den Unempfindlichen dringen, die Widerstrebenden erobern, wie willst du ihre Welt zu deiner machen und deine zu ihrer? wurde zunächst eine Frage der Zucht und eine Frage der Form. Ein Künstler ist nichts, wenn sein Werk nicht in den Seelen der Menschen lebendig aufersteht; damit dies geschehe, muß es eine Seele haben, aber auch einen Körper. Gefühl und Wort, Leidenschaft und Gedanke allein erzeugen keinen Körper. Es schien mir von alles überragender Wichtigkeit, Hingabe mit Begeisterung zu verschmelzen, und es begann ein jahrelanges schweres Ringen, Versuch um Versuch, Entwurf um Entwurf, Studie um Studie. Vom aufgelockert Traumhaften geriet ich ins Starre; vom Gesetzlosen in vorgesetzte Konstruktion, vom Schwärmerischen in Trockenheit, vom Bodenlosen ins Flache. Die nächsten Freunde mißverstanden mich; ich konnte mich ihnen auch nicht erklären, denn über dem eigentlichen Ziel war Dunkelheit; ich sah nur immer, daß das Einzelne, Fertige falsch war. Ich glaubte keinem Beifall, hielt mich an keine Wegweisung, keine Schule, ließ mich an kein Geleistetes binden und verzweifelte zwischen den Stationen am Gelingen. Es ist außerordentlich schwer, von der Natur dieses Kampfes einen klaren Begriff zu geben. Einerseits handelt es sich um Selbstbefreiung, Selbstgewinnung, um Läuterung und Erhöhung, also um sittliche Ziele, andererseits um Maß, Gestalt, Distanz, also um Ziele des Geistes und der Kunst. Ich rang um meine eigene Seele und um die Seele der deutschen Welt. In mir selbst konnte ich immer wieder Quellen und Reserven finden; die deutsche Welt aber gab sich nicht; ich konnte sie nur umlauern, umwachen, beschwören; ich mußte darauf dringen, daß sie sich mir stelle, ich mußte sie von Leistung zu Leistung von mir und meiner Sache überzeugen, ich mußte die glühendste Überredung, die äußerste Anstrengung anwenden, wo andere sich mit einem »seht her« begnügen durften. Sie glaubte mir nicht; ich hatte mich ihr zu früh dekuvriert; vom einzelnen ließ ich sie, gleichsam aus Gnade, aus Nachsicht, oder weil sie sich nicht mehr zu wehren vermochte, günstig stimmen; doch verlor sie alsbald den Folgegang, und mit jedem neuen sah ich mich von derselben Notwendigkeit wie mit dem vorherigen, ein Sisyphusbeginnen, das jedesmal meine Kraft bis zur Neige erschöpfte. Andere hatten laufenden Kredit. Sie konnten gelegentlich auf den Kredit hin lässig werden; ich mußte mich stets wieder legitimieren, stets mit meinem ganzen Vermögen wie einer, dem es nicht erlaubt ist, sässig zu sein und auf erworbenem Grund zu ackern und zu ernten.

Außenstehende wußten davon nichts; Nahestehende wunderten sich und begriffen nicht die Qual; ich schien ihnen bisweilen ein von unbefriedigtem Ehrgeiz Verzehrter, einer, der sich über seine Fähigkeiten spannt; sie meinten, ich dürfte mit dem Erreichten zufrieden sein, wiesen auf Untergeordnetes hin; Markterfolg, literarische Geltung; daß man genannt, gelesen, umstritten wurde, war ihnen etwas; sie sahen, hörten, fühlten nicht; ich konnte ihnen nicht begreiflich machen, woran ich litt; es war alles so fein, so zart, so schwebend, so fieberhaft labil und doch von so unermeßlicher Tragweite; ich handelte und schuf wohl als Individuum, aber in der Tiefe des Bewußtseins und Gefühls eng verkettet mit einer Gemeinschaft, die sich abgelöst hatte und mit einer anderen, die ich erobern wollte, erwerben sollte. Ich stand auf der Scheide; bisweilen erschien ich mir wie ein Prätendent ohne Anhänger, ohne Beglaubigung; ein Johann ohne Land; mir war, wie wenn der Boden unter jedem Schritt wiche, der Lunge die Luft entsaugt würde; dazu das brodelnde Gewühl einer noch unerlösten Gestalten- und Bilderwelt in mir und nie weichende Sorge um die Existenz.

14

Elf Jahre nach den ›Juden von Zirndorf‹ schrieb ich den ›Caspar Hauser‹. Ich halte mich zunächst an diese beiden Beispiele meiner Produktion, weil sie, ohne daß ich damit ein Werturteil geben oder herausfordern will, die polaren Punkte bezeichnen, zwischen denen ich mich suchend und grenzziehend bewegte, das eine nach der Seite des jüdischen, das andere nach der des deutschen Problems.

Die Figur des Caspar Hauser begleitete mich seit Kindheitstagen. Mein Großvater väterlicherseits, der als Seiler und später als Handelskaufmann in Zirndorf lebte, hatte ihn in Nürnberg auf dem Vestnerturm noch gesehen und erzählte von ihm wie von einem sehr geheimnisvollen Menschen. So berichteten auch andere von ihm, die einfachsten, nüchternsten Leute, stets wie von etwas sehr Geheimnisvollem, wovon laut zu reden eigentlich von Übel war. Ich kannte die Stätten, wo Hauser sein seltsames Leidensdasein verbracht und geendet, in Nürnberg die Burg, das Tucherhaus, in Ansbach das Gäßchen, wo der Lehrer Mayer gewohnt und den Hofgarten mit dem Oktogon, der die schöne Inschrift trägt; alles war diesem Schicksal so zauberisch angepaßt, das Gebliebene an Dingen, das noch Währende der Landschaft.

Immer wieder trat der Stoff an mich heran, zufrühest, als ich lernte, Menschen zu formen und sie in mitgeborenen Geschicken kreatürlich wachsen zu lassen und dann an allen Stationen, wo ich glaubte, Fertigkeit und Sicherheit genug errungen zu haben. Doch immer wieder entzog ich mich der Versuchung, als wäre was Heiliges an der Gestalt, was Verletzliches, und ich dürfe mich nicht unbedacht an ihr vergreifen. Gewisse Bücher, die damals selbständig auftraten, schrieb ich nur wie zur Übung und Vorbereitung, und dem ersten ernsthafteren Versuch ging jahrelanges Studium voraus, bis in alle Ecken und Winkel der einschlägigen Akten und Literaturen. Abermals und abermals wagte ich den Anfang, zog weiten Kreis, zog engen Kreis um das Thema, fand nicht das Fundament, fand nicht die Ruhe, nicht die Kraft, nicht die Erleuchtung, wurde mutlos und ließ wieder ab. Doch bei all dem Probieren und Verzagen, Graben und Verzweifeln wuchs mir die Figur des Nürnberger Findlings unerwartet hoch empor, und sein Schicksal ward mir zum Schicksal des menschlichen Herzens überhaupt. Das

Menschenherz gegen die Welt; als ich diese Formel gefunden hatte, hoben sich die Schleier, und wenngleich noch viele Mühsal zu bezwingen war, so blieb doch der Weg im Licht.

Wunderliches begegnete mir während der Arbeit. Als ich bis dorthin gelangt war, wo Clara von Kannawurf in Caspars Leben tritt, die ihm die erste Dämmerahnung der Geschlechtsliebe gibt, verlor ich die Realität unter mir; keine Plage, kein Denken und Erdichten, kein hundertfaches Neu- und Neubeginnen verhalf mir dazu, daß mir die Figur Vision wurde, daß sie Wahrheit und Glaubwürdigkeit erhielt, und ich sah mich zu langer, wartender Untätigkeit verurteilt. Da bekam ich eines Tages den Brief einer unbekannten Frau, sie wandte sich in einer seelischen Not an mich; es war etwas Unüberhörbares im Ton des Schreibens, das Zurückhaltung zur Grausamkeit gemacht hätte; im Begriff, eine Reise zu unternehmen, und da sie mich zu treffen wünschte, verabredete ich mit ihr eine Begegnung auf halbem Wege. Vom ersten Augenblick an waren wir Freunde; sie stand in tragischem Geschick als Frau, als Mutter; in ihrer Erzählung kam zutage, daß sie die Enkelin eines Mannes war, der, in hoher Stellung am badischen Hof, in die Caspar Hauser-Wirren und -Intrigen verwickelt gewesen war, die ja bis zu Volkserhebungen geführt hatten, und daß er, verleumdet und kompromittiert, sich erschossen hatte. Ich war überrascht und eigen berührt, am sonderbarsten durch den tiefen und schmerzlichen Anteil, den die junge Frau noch jetzt an dem Lose des Findlings nahm, Anteil solcher Art, als sei er ein verlorener Bruder von ihr, dessen geschändeten Namen und befleckte Ehre zu reinigen, zu retten ihre vornehmste Aufgabe sei. Sie wußte nichts von meinem Werk; ich gab ihr die Handschrift, soweit sie fertig dalag, ihre Ergriffenheit, als sie sie gelesen, ergriff mich selbst; das leidenschaftliche Interesse in ihr war wie Krankheit und Fieber, Fieber der beleidigten Gerechtigkeit, des Mitleids, der Liebe. Und da hatte ich nun plötzlich Clara von Kannawurf (das allerseltsamste war, daß sie auch mit Vornamen Clara hieß), da stand sie leibhaftig vor mir in der frauenhaften Jungfräulichkeit, wie ich sie geschaut hatte, der kindlichen Reife, der erfahrenen Schwermut, Widerpart einer trägen Welt.

Ich kann nicht leugnen, daß ich an die Veröffentlichung des Buches ungewöhnliche Erwartungen knüpfte, Erwartungen, die einer hegt, dem es endlich gelungen scheint, sich zu beglaubigen. Ich bildete mir ein, den Deutschen ein wesentlich deutsches Buch gegeben zu haben, wie aus der Seele des Volkes heraus; ich bildete mir ein, da ein Jude es geschaffen, den Beweis geliefert zu haben, daß ein Jude nicht durch Beschluß und Gelegenheit, sondern auch durch inneres Sein die Zugehörigkeit erhärten, das Vorurteil der Fremdheit besiegen könne. Aber in dieser Erwartung wurde ich getäuscht. Zunächst erhob sich ein übler Zeitungsstreit um die historische Person Caspar Hausers, und ein Platzregen von hämischen Beschimpfungen und dünkelhaften Zurechtweisungen ging über mich nieder, den man des Verbrechens bezichtigte, die alte Lügenfabel von fürstlicher Abkunft des Findlings wieder aufgewärmt und zum Vergnügen eines sensationshungrigen Publikums serviert zu haben. Ich wurde belehrt, daß Professor Mittelstädt in seiner berühmten Schrift und Lehrer Mayer in seiner aktenmäßigen Darstellung, und wer weiß wer noch und wo, längst die Welt davon überzeugt habe, daß Caspar Hauser ein schwachsinniger Betrüger gewesen sei, der die öffentliche Meinung Deutschlands und Europas zum Narren gehabt; daß es eine naive Anmaßung und Unwissenheit sei, das seit einem halben Jahrhundert glücklich begrabene Märchen neuerdings zum Gegenstand der Diskussion und Fehde zu machen, und daß ich mir für meine literarische Stoffgier ein harmloseres Gebiet wählen möge, das weniger geeignet sei, Beunruhigung und Ärgernis zu erregen.

Nun bin ich ja heute wie vordem durchdrungen von der Meinung, daß Caspar Hauser wirklich der prinzliche

Knabe gewesen, für den ihn Daumer und Feuerbach und nachher viele andere, die totgeschwiegen oder totverleumdet wurden, gehalten; es sind mir dokumentarische Belege, glaubwürdige Zeugnisse genug zu Aug und Ohr gekommen, andere werden einst aus tückisch verschlossenen Archiven ans Licht treten; die Intrigen reden eine deutliche Sprache; es gibt noch hochgestellte Wissende; manche haben mir ihr Vertrauen geschenkt; ein Zweifel darüber, was die Schreitischpsychologen so leichtfertig ableugneten, war bei ihnen gar nicht zu finden. Heute wie vordem bin ich davon durchdrungen, daß der Name, das Leben und der Tod Caspar Hausers eine nicht gesühnte Schuld ausmachen, die fort und fort wuchert wie alle nicht gesühnte Schuld.

Alles dies hat mit der Dichtung nur mittelbar zu schaffen. Insofern verfehlten auch die Angriffe ihr Ziel. Ich kannte die Motive, kannte die Werkstätten, wo sie ersonnen und gelenkt wurden. Aber von dem Kleinlichen abgesehen, war mir doch, als ersticke Hall und Widerhall in einer Luft, die nicht trug. Es war mir ja nicht um Geringes zu tun, und ich dachte deshalb, das Geringe müsse zerschellen. Es war mir nicht um Persönliches zu tun, und ich dachte, die Person stehe außer Frage. Es war mir auch nicht darum zu tun, daß der oder jener Beifall zollte, die Leistung anerkannte, das Streben billigte oder pries, ja nicht einmal darum war mir letzten Endes zu tun, daß ich einzelne zu gewinnen, zu erschüttern, Seltene sogar zu erhöhen, zu wandeln vermochte. Man sagt immer, halb zum Trost, halb in der Erkenntnis der menschlichen Durchschnittsnatur, es sei des Erreichten genug, wenn eben einzelne zur Besinnung kämen, wenn ein Werk dazu verhilft, daß unter tausend zehn zum Gefühl des Besseren erwachen, und daß der in eine einzige empfängliche Brust gesenkte Keim tausendfältige Frucht tragen müsse. Das ist wohl wahr, doch inzwischen vergeht viel Zeit, und das Mißverständnis tötet den Schwung. Wer zu einer Sache mit Leib und Leben steht, dem kann und mag es nicht genügen, wenn willige Gruppen mehr oder weniger lau sich für ihn erklären; wenn literarisch Mitinteressierte für ihn ins Horn stoßen; auch nicht, wenn vorbereitete aufnahmsfrohe Freunde neue Freunde werben; auch nicht, wenn die sehnsüchtigen Wesen, da und dort unter aller Menschheit zerstreut, ihren Blick auf ihn richten, sei es als zufällig Getroffene, sei es als wählend und sichtend Berührte. Ihm geht es um ein Ganzes, um das volle, breite, tiefe Erklingen einer Welt. Es liegt ja auch in der Art der epischen Kunst. Ihre Fülle zählt auf Fülle der Hörenden; ein Orchester kann nicht in einer Stube spielen. Ihre Wirkung ist ein Mosaik von Teilwirkungen, oft der heterogensten Beschaffenheit, vom Melodischen bis zum grob Handlungsmäßigen, vom Zarten bis zum Brutalen. In Deutschland ist solche Wirkung großen Stils unmöglich, weil zwischen den empfangenden Schichten die geistige Übereinkunft fehlt und über ihnen ein Forum des Geschmacks; die sich zu Richtern aufwerfen, schmeicheln der Halbbildung oder der Mode des Tages, überheben sich in ihrer Befugnis, treiben Parteipolitik; der Berufenen wird wenig geachtet, und sie müssen sich in esoterischer Tätigkeit bescheiden. Je schwächer aber der Anteil eines Volkes an den Hervorbringungen seiner Schöpfer ist, je herzensmatter und unentschiedener; je mehr Schlacke haftet auch den Werken selbst an, je unsicherer wird ihre Haltung, je ungesicherter ihr Sein, je sporadischer ihre Entstehung. Das sind organische Wechselbeziehungen von eherner Gesetzmäßigkeit. Für den Mangel von Einheit und Folge, von Liebe zum Ding und zur Figur, von seelischer Bindung und geistiger Vorurteilslosigkeit bietet keine Sensation Ersatz, kein aufflammender Taumel und gelegentliche Erhitzung; wer sich ohne zureichenden Grund enthusiasmiert, wird notwendigerweise zur Reue und zum Katzenjammer getrieben; er muß morgen schmähen, was er gestern bejubelt, das erscheint ihm als die einzige Hilfe in der Verwirrung, nichts bringt ihn aus dem falschen Geleise, auch seine Götterbilder bedecken sich mit Staub.

Ich erfuhr also, daß ich keinen Fußbreit Boden erobert hatte und erobern konnte, nicht in dem Bezirk nämlich, um den sich's mir heilig und schmerzlich handelte. Immer wieder mußte ich lesen oder spürte, daß es im Sinnen und Meinen lag: der Jude.

15

Ich rekapituliere, denn es ist nun einmal wichtig, durch die klare Beweisführung zur klaren Schlußfolgerung zu gelangen. Das Beispiel tritt nicht als ein Beispiel zur Person, sondern zur Sache auf.

Die Idee des ›Caspar Hauser‹ war, zu zeigen, wie Menschen aller Grade der Entwicklung des Gemüts und des Geistes, vom rohesten bis zum verfeinertsten Typus, der zwecksüchtige Streber wie der philosophische Kopf, der servile Augendiener wie der Apostel der Humanität, der bezahlte Scherge wie der besserungssüchtige Pädagoge, das sinnlich erglühte Weib wie der edle Repräsentant der irdischen Gerechtigkeit, wie sie alle vollkommen stumpf und vollkommen hilflos dem Phänomen der Unschuld gegenüberstehen, wie sie nicht zu fassen vermögen, daß etwas dergleichen überhaupt auf Erden wandelt, wie sie ihm ihre unreinen oder durch den Willen getrübten Absichten unterschieben, es zum Werkzeug ihrer Ränke und Prinzipien machen, dieses oder jenes Gesetz mit ihm erhärten, dies oder jenes Geschehnis an ihm darlegen wollen, aber nie es selbst gewahren, das einzige, einmalige, herrliche Bild der Gottheit, sondern das Holde, Zarte, Traumhafte seines Wesens besudeln, sich vordringlich und schänderisch an ihm vergreifen und schließlich morden. Der zuletzt den Stahl führt, ist nur ausübendes Organ; gemordet hat ihn jeder in seiner Weise: die Liebenden so gut wie die Hassenden, die Lehrenden wie die Verklärenden; die ganze Welt ist an ihm zum Mörder geworden; so schreit es ja auch schließlich aus der gequälten Brust der Clara von Kannawurf.

Der Vorgang nun steht in der Landschaft, die ihm bereits von der Geschichte gegeben war; innerste deutsche Welt und, ich glaube es wohl sagen zu dürfen, gültige deutsche Menschen. Deutsch die Stadt, deutsch der Weg, deutsch die Nacht, deutsch der Baum, deutsch die Luft und das Wort. Mag sein, daß ein sehr hoch thronender Richter mit weisem Lächeln mir zurufen könnte: was du von den Ahnen hast und durch dein Blut bist und in deinem Werk sich mitverkündigt, das kannst du selbst nicht beurteilen. So würde ich doch antworten, und er, der Weise, würde es billigen: Die es trotzdem spüren, sind schon vom niedern Wahn Gelöste, und sie freuen sich dessen, der sie bestätigt und erweckt; ob er vom Osten kommt oder vom Westen, gilt ihnen gleich, nur seine Menschenstimme und seine Opfertat ist ihnen wichtig. So viel weiß ich von den Erweckten.

Die andern, denen ich Jude war und blieb, wollten mir damit zu erkennen geben, daß ich ihnen nicht genug tun konnte, als Jude nämlich; daß ich, als Jude, nicht fähig sei, ihr geheimes, ihr höheres Leben mitzuleben, ihre Seele aufzurühren, ihrer Art mich anzuschmiegen. Sie räumten mir die deutsche Farbe, die deutsche Prägung nicht ein, sie ließen das verschwisterte Element nicht zu sich her. Was unbewußt und pflanzenhaft daran war, schien ihnen ein Produkt der Erklügelung, Ergebnis jüdischer Geschicklichkeit, schlauer jüdischer Ein- und Umstellung, gefährlicher jüdischer Täuschungs- und Bestrickungsmacht. Was half die stille oder auch geäußerte Überzeugung, daß ein Buch wie dieses, aus dem Herzen des Volkes entstanden und durch alle ihm beschiedene Zeit hindurch als volksmäßig ansprechbar, wäre es von einem Namenlosen oder Unbekannten ausgegangen, vielleicht sogar für Deutschtümler ein Fanal geworden wäre, sie sich's wenigstens als solches hätten aufreden lassen wie manches minder bezeichnende und flachere, wie manches größere auch, das sie gierig ins Joch ihrer Machenschaften preßten? Da waren ja überbrachte Symbole, das verfolgte Fürstenkind, hinschmelzend in romantischer Sehnsucht; alles von alter Weise eigentlich, nur daß am Ende Versöhnung und Glorie fehlten und das Schicksal, folgerichtig nach innen, vorgangstreu nach außen, seinen schauerlichen Weg vollzog. Was die tiefen und starken Empfänger daneben noch empfangen konnten, steht auf einem andern Blatt, steht dort, wo es steht. Gewiß ist nur das eine: Es durfte vor der deutschen Öffentlichkeit nicht wahr sein, daß ein Jude ein so eigentümlich deutsches Buch schrieb.

Wohlwollende noch deuteten an: ja, ja, alles recht schön, aber dies vergrübelte Wesen ist von fremdem Ursprung; diese psychologische Bohr- und Grubentechnik hat nichts mit unserer Stammesart gemein. Das ist noch das Mildeste, was in den meisten der beliebten und verbreiteten Literaturgeschichten zu lesen ist. (In Parenthese: Die Massenheerschau und Massenabschlachtung eines Großteils dieser wissenschaftlich tuenden Literaturgeschichten mit ihrer leichtsinnigen Schablonisierung und dem auf Unwissende und Unmündige berechneten Oberlehrerton ist geradezu eine deutsche Schande, in den Augen gebildeter Nationen eine Lächerlichkeit.) Was dort also zu lesen ist, wurde zur gängigen Urteilsmünze, und welche Anstrengungen immer ich aufwenden, welche Gestalten und Gesichte immer ich darbieten mochte, wie hoch ich baute, wie tief ich schürfte, es wurde stets in den nämlichen Retorten das nämliche Gift gekocht, das bestimmt war, den freien Flug zu lähmen, die freudige Hingabe zu brechen.

Man wird einwenden: alles Geschaffene stößt auf Widerspruch und Widerstand; was dich auf deiner Linie hemmt, ist nur ein Umgebogenes, Umgelogenes von dem, was andere auf ihrer behindert; verwundbar, weil verwundet bis zurück ins zehnte Glied schon, trifft dich der Nadelstich wie Dolchstoß, der Faustschlag wie Knüppelhieb; dein Argwohn bereits macht Unsichere zu Feinden und Nörgler zu Meuchlern; vergiß nicht den Dornenpfad Größerer, vergiß auch nicht, was du in deinem Kreis gewirkt und gewonnen.

Es handelt sich darum nicht. Es handelt sich nicht darum, was ich gewirkt und gewonnen. Es handelt sich um die Lüge, die wurmhaft vor mir herkriecht und von Zeit zu Zeit ihr gesprenkeltes Haupt erhebt, um mich anzuspeien. Um die unbesiegbare, grauenvolle Lüge handelt sich's, in die sich der Geist eines ganzen Volkes gehüllt hat, und der kein Augenschein, kein Opfer, keine Liebe, kein Beweis etwas anzuhaben vermag.

Man denke sich einen Arbeiter, der, wenn er seinen Lohn begehrt, niemals voll ausgezahlt wird, obgleich seine Leistung in nichts hinter der der übrigen Arbeiter zurücksteht, und den man auf die Frage nach dem Grund solcher Unbill mit den Worten bescheidet: du kannst den vollen Lohn nicht beanspruchen, weil du blatternarbig bist. Er schaut in den Spiegel: Sein Gesicht ist durchaus ohne Blatternarben; er geht hin: Was wollt ihr? Ich bin ja gar nicht blatternarbig. Man zuckt die Achseln, man erwidert: Du bist als blatternarbig gemeldet, also bist du blatternarbig. In dem Gehirn des Menschen entsteht eine sonderbare Verwirrung: Das Recht wird ihm verkürzt unter dem Vorwand eines äußeren Makels, und in der Beunruhigung, die es ihm erregt, daß er den Makel nicht finden und erkennen kann, unterläßt er es, mit dem Aufgebot aller Kraft sein Recht durchzusetzen. Eine raffiniert ausgedachte Qual.

So auch spricht der Deutsche, der Nur-Deutsche, Dolmetsch von vielen, wenn ich in seine heimlichsten Hintergründe dringe, zu mir: Für das, was du machst und schaffst, ist jeglicher Lohn genug; du kannst überhaupt froh sein, daß ich dir Spielraum gewähre, da es ja meine unerschütterliche Überzeugung ist, daß alles, was du bildest und formst, weder nützlich, noch erfreulich für mich sein kann.

Sind das Nadelstiche, so sind es doch mörderische; sind es Faustschläge, so will ich nicht erfahren, wie Knüppelhiebe schmecken. Das Evoe und Hosianna der Spärlichen, die um einen sind, übertäubt nicht das Pereat von draußen. Man muß wachsam sein auf die Stimmen von draußen. Jedem Schriftsteller gegenüber konstituiert sich ein Gesamtverhalten der Nation; nach diesem richtet sich die Freiheit seines Gemüts, die Sicherheit seine Allüre und ein schwer umschreibbares Etwas von geistigem Takt, von eingebetteter Stromkraft. Unerläßlich, daß er voraussetzungslos genommen wird, erwachsen ihm doch aus Werk und Handwerk so viel Hemmungen und Ängste, daß die Jahres-, die Stundenschale randvoll davon überfließt, des häßlich beschwerten Alltags nicht zu gedenken. Bekommt er nicht zu spüren, daß die Wärme, die er ausgibt, wieder Wärme erzeugt, so bricht die Natur in ihm zusammen. Wie soll er sich einer Anklage erwehren, die ihm je sinnloser erscheinen muß, je wahrer er in seinem Kreis, in seiner Ordnung steht? Möglich, er betrachtet als Auszeichnung, möglich, als drückendes Schicksal, möglich sogar, als zu sühnende Schuld, was ihm durch das Judesein geschehen ist; es gibt ja Erscheinungen der letzten Art genug, und ich werde noch von ihnen zu reden haben; in keinem Fall wird er begreifen, wird er es zu ertragen lernen, daß im gereinigtsten, geweihtesten Bezirk mit zweierlei Maß soll gemessen werden und keine Reinigung und Weihe zureichen soll, keine Tat, keine Entselbstung, nicht Schweiß noch Blut, nicht Bild noch Figur, nicht Melodie noch Vision, ihm das Vertrauen, die Würde, die Unantastbarkeit von vornherein zuzugestehen, die im gegnerischen Lager der Geringste ohne Abzug genießt. Ist er aber einmal zu der Erkenntnis der Vergeblichkeit des Kampfes gelangt, woher soll er dann noch Worte und Gründe nehmen, woher den Mut zur Erweisung und Verkündigung?

Bild und Figur führen im deutschen Leben eine Katalogexistenz. Der Deutsche findet nicht zu ihnen, er identifiziert sich niemals mit ihnen, höchstens, daß er von ihnen abstrahiert; sie müssen ihm plausibel gemacht werden. Trotzdem kann man ihn weder überreden, noch eigentlich überzeugen; er glaubt nur, was zu glauben befohlen ist oder wozu eine Majorität ihn zwingt.

Wohlverstanden: hier wird nicht um Gnade gewinselt. Hier ist nicht einer, der sich als reuiger Sünder gebärdet oder als weißer Rabe. Auch nicht einer, der sich brüsten will mit einer Märtyrerkrone oder mit Erlittenem sich schmücken. Auch nicht einer, der sich losgetrennt hat, hüben und drüben, um sich in prahlerische Einsamkeit zu retten. Auch nicht einer, der mit dem getretenen Stolz, verbissenen Trotz des Zurückgewiesenen Komplotte schmiedet und Konventikel gründet, der plötzlich uraltehrwürdige Zugehörigkeit als neu entdeckt und sich an die klammert, weil ihm die Wahl- und Geisteszugehörigkeit bestritten wird.

Nein. Es geht um Auseinandersetzung. Es geht um Rechenschaft, von hüben und von drüben. Es geht schließlich um die Frage: warum schlagt ihr die Hand, die für euch zeugt?

16

Solches Zeugnis geschah sechs Jahre nach dem ›Caspar Hauser‹ zum zweitenmal im ›Gänsemännchen‹. Ich übergehe dabei wieder die mittleren, die Versuchs- und Erprobungswerke; etwa den ›Goldenen Spiegel‹ und den ›Mann von vierzig Jahren‹. Ich dachte in jener Zeit an eine zyklische Folge, Darstellung deutscher Welt am Anfang des Jahrhunderts. Das ›Gänsemännchen‹, 1911, 1912 und 1913 entstanden, wurde erst im zweiten Jahr des Krieges veröffentlicht, und es fügte sich, daß das Buch, wie keines meiner Bücher zuvor, sogleich ein herzliches und weittragendes Echo fand. Ich hatte damals oft den Eindruck, daß die Übergewalt der Ereignisse ihm eine Art von Anonymität verlieh, durch die es reiner in sich selbst ruhte, stärker aus sich selbst wirkte; ein neues, wohltuendes Gefühl für mich.

Es enthält und gibt ein charakteristisches Stück bürgerlicher deutscher Geschichte, deutscher Zustände um 1900, doch nicht in der Schilderung, sondern in der Zusammenfassung, wobei das Entscheidende in die Gestalt und ihre seelische Wandlung verlegt wird. Das Musikerschicksal ist nur Behelf und Vorwand; es war nötig, für alle Klänge und Widerklänge ein intensiv empfangendes Membran zu gewinnen, das zitterndste, zarteste, genaueste Instrument, an dem abzulesen war, wie es um den deutschen Alltag stand, wie die Wirklichkeit sich zur Idee, das Allgemeine zum Besonderen verhielt. Das Buch ist in dem Sinn, wie ich es oben entwickelt habe, provinziell. Es war vielleicht nicht so geträumt; aber um die Mauer niederzureißen, die mich gefangen hielt, hätte ich mich zuerst an ihr verbluten müssen, und während der Arbeit zeigte sich das Sonderbare, daß ich eine verhältnismäßige Breite nur erringen konnte, wenn ich nicht töricht wider die Mauer anrannte, sondern, im Gegenteil, mich mit dem mir verstatteten Raum beschied und wie ein guter Architekt aus der Beschränkung ein Mittel zur Entfaltung machte.

Freilich lief damit viel Schnörkelhaftes unter, viel Skurrilität, Enges, Grelles, Kunterbuntes, aber auch dies gehörte zum Weg, und der Weg wies mich ins Urbane, in den Bezirk, wo das Geschaffene unmittelbar zum Menschen spricht, ihn anrührt, ihm dient, ihm befiehlt, sowohl durch das, was an ihm offenbar wie durch das, was Geheimnis ist und Geheimnis zu bleiben hat. Alles Gewachsene ist ja so, alles, was von der Natur ausgeht, offenbar und geheimnisvoll zugleich. Ob Daniel Nothafft als eine deutsche Gestalt gelten kann, ist viel erörtert worden. Die Frage hat Interesse nur im Hinblick auf mein persönliches Problem. Manche haben sie bejaht, manche zweifelnd erwogen, manche verneint. Ich erlebte Kundgebungen des Erstaunens und wie Leute stutzig wurden in beharrlich verfochtener Meinung, weil sie zwischen dem Urheber und dem Produkt keine Verbindung mehr gewahrten. Am Gesetzhaften meiner Stellung zur Gesellschaft und zur deutschen Öffentlichkeit änderte sich so gut wie nichts. Für dieses Gesetzhafte gibt es ja nur ein untrügliches Regulativ, und das ist das eigene Innere, die wiederkehrende, vom Blut erzeugte, den Sternen gehorchende Welle des inneren Lebens.

Ich hatte inzwischen, während eines Aufenthaltes in Nürnberg, den Freund wiedergetroffen, den ich viele Jahre vorher unter so häßlichen Umständen in Zürich verlassen hatte. Er war nun ein Mann Mitte der Vierzig, ich Anfang der Vierzig; die Jugendstürme lagen weit hinter uns, und der lange Zeitverlauf machte, daß man kaum noch das Gefühl hatte, derselbe Mensch trete einem entgegen; die Erinnerung war etwas für sich Bestehendes, und die Gegenwart mußte mit ihr paktieren. Der Freund von ehemals beobachtete eine Zurückhaltung, die mich bisweilen wunderte, bisweilen still erheiterte, denn ich konnte die Ursache ungefähr ahnen. Der Mentor und Führer aus den Jahren der Entwicklung kann sich nicht zufrieden zeigen mit der Richtung, die man eingeschlagen, schon mit dem Tag, wo man sich seinem Einfluß entzogen hat. Was man auch tut, wie man sich auch hält, wohin man auch strebt und wo man anlangt, er hat es immer anders gedacht und gewollt. Ihm scheint alles Irrtum und Verrat, denn er war nicht dabei, er hat seinen Segen nicht dazu gegeben, und es erbittert ihn, daß er entbehrlich gewesen ist. Daß er selbst in entscheidender Stunde versagt hat, ist aus seinem Gedächtnis hinweggewischt, muß auch hinweggewischt sein; wer kann sich anderthalb Jahrzehnte lang einem andern als geistigen und seelischen Schuldner verdingen? Das würde ihn zugrunde richten. Es beharrt also dabei, daß er einst für das Wohl und Wehe des Kameraden verantwortlich war, und daß mit dem Tag, wo seine Macht und seine Verantwortlichkeit zu wirken aufgehört haben, das Übel begonnen hat. Im Verborgenen bewahrt er wohl auch eine unbeglichene Dankbarkeitsrechnung, derer er sich schämt, die aber doch seinen Groll vermehrt. Kommt dann noch hinzu, daß sein eigenes Geschick den gehofften Aufstieg nicht genommen hat, daß er noch an alten Lasten schleppt, in alten Ketten seufzt, indes der Leidensgenosse von ehedem ein Ziel erreicht hat, wenn schon nach seiner Ansicht ein falsches und verwerfliches, so wird die Situation so peinlich, so hintergründig, wie sie eben zwischen uns war.

Ich hatte ähnliche Begegnungen öfter. Eine vom größten Zuschnitt, wo die Dankbarkeitsrechnung brutal hingehalten wurde, will ich in Einschaltung erzählen: Eines Tages traf ich in Fürth einen früheren Schulkameraden, in dessen elterlichem Haus ich als Fünfzehn- und Sechzehnjähriger verkehrt hatte. Man hatte mich freundlich aufgenommen, obschon, da die Leute vermögend waren und ich demnach von geringerem Stande, mit einer Herablassung, die ich damals gerechtfertigt fand. Der junge Mensch, der über reichliches Taschengeld verfügte, hatte mir dann in den Nürnberger Notjahren hier und da mit einem Goldstück ausgeholfen; er wußte um meine literarischen Bemühungen, gab sich mir gegenüber als Gönner, und um ihn bei guter Laune zu erhalten, las ich ihm bisweilen meine Versuche vor. Er war mit meinem Garrick befreundet, und dieser hatte ihm, als er die Stadt verließ, um nach England zu gehen, ganze Berge von meinen Manuskripten und Briefen zur Aufbewahrung übergeben. Als ich ihn nun, mehr denn zwanzig Jahre danach, auf der Straße sah und wiedererkannte, hielt ich ihn an, begrüßte ihn arglos und fragte, ob er sich der Handschriften erinnere, und ob sie noch in seinem Besitz seien, es lockte mich, sie einmal durchzusehen. Ich habe selten einen derartigen Ausdruck von Haß, philisterhafter Bosheit und beleidigtem Dünkel in einem Gesicht vereinigt gesehen. Er antwortete: Wie, du wagst es, eine Sache zurückzufordern, auf die ich nach allem, was ich für dich getan habe, ein Eigentumsrecht geltend machen kann? Du wagst es, einen Menschen wegen dieser Makulatur zu behelligen, der dich mit Wohltaten überschüttet hat, und um den du dich dreiundzwanzig Jahre lang nicht gekümmert hast? Solche Undankbarkeit schreit zum Himmel. Damit drehte er mir den Rücken. Es ist keine Übertreibung, er gebrauchte genau diese Worte und sprach von Wohltaten und Undankbarkeit.

Zwischen mir und dem Freund war noch etwas anderes in der Schwebe als die erkaltete Beziehung aus vergangener Zeit, der keiner von uns mehr Wärme und Odem einhauchen konnte, obwohl wir Mühe verwandten, uns einander glauben zu machen, es sei noch alles wie vordem. Ich arbeitete damals im städtischen Archiv; an den Nachmittagen verabredeten wir uns zu Ausflügen in die Umgegend. Das Wunderliche war, daß der Freund mit keiner Silbe eines meiner Bücher erwähnte, als hätte er nie eins gelesen, als hätte er nie davon gehört. Ich hätte ihn aber schlecht gekannt, seine Wachsamkeit, sein rege spähendes, immer argwöhnisches, immer eiferndes Interesse für alles, was in der geistigen Sphäre vorging, wenn ich nicht gewußt, mit Sicherheit hätte annehmen dürfen, daß er jede Zeile von mir, deren er habhaft werden konnte, mit Begier verschlungen hatte; nicht mit Liebe, da ich ihm ja als ein aus der Zucht, seiner Zucht Entlaufener und deshalb Mißratener erscheinen mußte, aber doch mit der ihm eigenen Hartnäckigkeit, eben um die Tiefe meines Sturzes sich immer von neuem zu beweisen. Es stand ihm an der Stirn geschrieben.

Trotzdem befremdete mich dieses Schweigen sehr, und in meinem bedrückten, bedauernden Nachdenken fand ich eine Ursache, die mich freilich in seinen Augen wesentlicher hatte schuldig machen müssen als durch die

Trennung der Wege und die Loslösung von gemeinsamen Zielen. Es war der Umstand, daß es in zweien meiner Romane eine Figur gab, die durch eine gewisse Konstellation von Charakterzügen und Gewohnheiten auf ihn als Modell wies. Ich leugne nicht, daß er mir bei der Zeichnung der betreffenden Person zum Vorbild gedient hatte, und daß die Verähnlichung, die aber durchaus keine Vernämlichung bedeutete, nicht gerade schmeichelhaft für den Lebendigen ausgefallen war. Ich hatte keinerlei Vertrauensbruch begangen; weder Verrat noch Bezichtigung konnte ich mir vorwerfen; es war nichts zu verraten, es war nichts zu bezichtigen; um so weniger konnte von schlimmer Absicht die Rede sein, als in die Gestalt auch viel von eigenen Leiden, Verwirrungen und Dunkelheiten übertragen war und in jenen Jahren wirklichkeitssüchtigen, wirklichkeitsbangen Schaffens dieser Mann, dieser Freund, dieser Feind, wenn man will, wie ein Bruder-Ich vor mir gestanden war. Feind und Bruder, wie nah ist das oft. Ich hatte in der Figur etwas Neuartiges darzustellen versucht, das mich bis zur Angst beunruhigt hatte: den Juden-Christen, den Deutschen von zweifelloser Reinheit der Abstammung, der aber vermöge einer merkwürdigen Chemie des Schicksals oder der Elemente unverkennbar jüdische Eigenschaften besitzt, jüdische Glut, jüdische Verschlagenheit, jüdische Labilität, jüdische Augenblickhaftigkeit. Das ist etwas vorausempfunden und -geformt, eine Verwandtschaft des äußeren Loses und inneren Seins zwischen Deutschtum und Judentum, das seitdem sogar an die Oberfläche öffentlicher Diskussion gedrungen ist, und worauf ich auch werde zurückkommen müssen.

Es ist ein heikles Ding, wie der Schriftsteller sich verhalten soll, wenn er vor die Notwendigkeit gestellt ist, Personen seines Umgangs, ja solche, die nur harmlos seine Nähe gesucht haben, in seine dichterische Welt zu transponieren. In der Jugend ist man darin ziemlich unbedenklich; ich zum mindesten war es; man nimmt es auf sich; brechen alte Bande, knüpfen sich neue; man ist stolz darauf, vor nichts zurückzuschrecken, auch vor heillosen Übergriffen nicht; alles soll die Kunst wieder gut machen, auch wo man menschlich sich vergangen hat, als ob das möglich wäre. Ich hatte einmal, in den Zigeunerjahren, einen Ehrenhandel mit einem Schauspieler; einem ganz famosen Mann, den ich in einer leichtsinnig hingeschriebenen Geschichte als komischen Hahnrei geschildert und dem Gelächter einer literarischen Kaffeehausgesellschaft preisgegeben hatte. Es war unnützes Zeug, kaum zu entschuldigen als Handwerksübung. Ich erinnere mich, daß ich eines Tages einen äußerst verzweifelten Brief von Gustaf af Geijerstam aus Schweden erhielt, worin er mir mitteilte, daß er ruiniert und verloren sei, da ihn Strindberg in den ›Schwarzen Fahnen‹, für alle Leser kenntlich, als den Auswurf und die Pest seines Landes gezeichnet habe. Er fürchtete, daß die Kenntnis davon auch nach Deutschland gelangt sei und bat mich, für ihn einzutreten. Das war nun aus mancherlei Gründen untunlich; wie durfte ich mich in die schwedischen Händel mischen. Übrigens starb Geijerstam kurze Zeit hernach; seine Freunde behaupteten, aus Scham und Kummer.

So weit geht es ja selten. Aber wo ist die Grenze? Wir wissen, auch Kestner konnte nicht darüber hinwegkommen, daß Goethe im Werther die befreundete Familie bloßgestellt hatte. Es wird erzählt, daß die Moskauer und Petersburger hohen Kreise, als Anna Karenina erschienen war, sich weniger mit den Vorzügen des Werkes als damit beschäftigten, die Urbilder der handelnden Figuren mit neugieriger Schadenfreude ausfindig und namhaft zu machen. Was ist erlaubt, was steht frei? Was ist verboten, was verbietet sich von selbst? Hätte der größere Künstler die größere Befugnis? Sonderrechte der Rücksichtslosigkeit und Ausschlachtung? Doch wohl kaum, da es auch in dem Bezug keinen Richtspruch von zulänglicher Kompetenz gäbe. Ich kann auf die Wirklichkeit und ihre Nahrungszufuhr nicht verzichten, wenn ich nicht mit meinen

Geschöpfen ins Bodenlose geraten will. Die Farbe der Natur nicht zu überschminken, ihre Wahrheit nicht willkürlich umzubiegen, erfordert mehr Kraft und Mut als eine romantisierende, falschidealistische Erhöhung und Verallgemeinerung. Der Mangel an realer Bindung ist Schuld an der verwässerten Tragik, grundlosen Überhitzung und schematischen Zuspitzung, die die mittlere deutsche Erzählung so schwer genießbar machen. Andererseits geht es nicht an, Schicksale und Menschen nur um des Interessanten oder Ausnahmshaften, das ihnen eigen ist, an den Pranger zu stellen; was unbedingt des anderen Eigentum ist, und was er zu bewahren wünscht, darf ich ihm nicht rauben und entreißen; verkleide ichs, veredle ichs auch, für ihn verzerrt es sich, und er muß sich verarmt dünken. Dennoch gibt es Fälle, wo die äußere Verpflichtung einer gebieterischen inneren zu weichen hat; dann aber kann es sich nicht mehr um das bloß Interessante und Ausnahmshafte handeln, sondern um das Gültige und Tragende, um Vision, um Wandlung, um Erneuerung. Dann wird auch der Vorwurf des Verrats und Raubes hinfällig; bleibt mißverständlicherweise ein Odium davon, so verweht es die Zeit; Menschengeschehen ist flüchtig, und Menschen sind vergänglich; sein Gesetz erhält das Schicksal erst durch den Dichter. Aber was die Abschreiber und Klitterer der Wirklichkeit aus ihr machen, ist noch viel vergänglicher als Mensch und Geschehen. Diese zufällige grobe Wirklichkeit; mit ihr ist in der Regel wenig anzufangen, wenig zu leisten; sie ist ein ungeheurer Materialspeicher, und ist kein Auge da, das das Verworrene entwirrt, im Vielfältigen das Einfache wahrnimmt, in den Schlacken das Edelmetall, unter Fratzen das Gesicht, im Stückwerk die Andeutung des Ganzen, im Abgeirrten das Gesetz, was ist sie dann nütze? Der Augenschein gehört mir, unter allen Umständen; wer dürfte ihn mir bestreiten? Wozu ich ihn umschaffe, ist Sache der Gnade.

17

Aber ich will von einem Gespräch zwischen mir und dem Freund berichten. Er erkundigte sich nach meiner Familie, und ob sie sich mit mir ausgesöhnt habe. An meinen persönlichen Verhältnissen zeigte er lebhaften Anteil. Obwohl der Dialog durch die Ausschließlichkeit, mit der er sich an das Thema hielt, etwas Gezwungenes bekam, stand ich ihm ohne Rückhalt Rede. War ich auch nicht mehr der verhungerte Skribent, der ihm ehemals Bürde gewesen, und den er von sich gestoßen, so übte er doch noch immer Macht über mich aus. Solche Macht, die ein Erfahrener, Überlegener über einen irrend Suchenden erlangt, geht überhaupt nie ganz verloren, es sei denn, der eine oder der andere verlöre sich selbst. Außerdem bewahrte ich dem merkwürdigen Mann eine Anhänglichkeit, die ihm gewiß fühlbar wurde.

Es kam mir vor, als wollte er mich nach einer bestimmten Richtung ausholen, und endlich fragte er mich geradezu, ob ich noch wie zu jener Zeit überzeugter Jude sei. Ich antwortete: Überzeugter Jude? Mit dem Beiwort wisse ich nichts Rechtes anzufangen. Ich sei Jude, damit sei alles gesagt. Ich könne es nicht ändern; ich wolle es nicht ändern. Also hätte ich mich nach der einen Seite entschieden? fragte er und sah mich mit seinem scharfen Blick durch die Augengläser an. Ich versuchte, ihm zu erklären, daß ich zu der Erkenntnis gekommen sei, diese Entscheidung sei keine Notwendigkeit für mich. Nur für diejenigen sei sie eine Notwendigkeit, die sich entschlossen hätten, das Feld ihrer Wirkung freiwillig zu beschränken und sich damit zufrieden gäben, entweder aus dem Stolz des ungerecht Verkannten heraus, oder aus Müdigkeit und Schwäche; für diejenigen dann, nach der andern Seite, die die Schiffe hinter sich verbrannt hätten und sich dem Prozeß der Anpassung, Angleichung mit mehr oder minder gutem Gewissen, mehr oder minder guter Haltung überließen. Zu beidem fehle mir die Lust, zu beidem auch der Grund. Ich stünde in der Welt mit einer Sendung; so viel hätte ich schon zu spüren bekommen, daß ich mich darin nicht irre, mich nicht gleichsam als leibhaftige Lüge zu betrachten habe, was dieses Bewußtsein anging. Und darin hatte ich mich zu erweisen, in nichts sonst, darin zu entscheiden, und nicht etwa ein für allemal und mir's dann bequem werden zu lassen in meiner Haut, nein, Tag für Tag, bei jedem Schritt, mit jedem Atemzug. Ich wußte, daß ich übers Ziel schoß mit dem »Bequemwerdenlassen in meiner Haut«, aber es fiel mir plötzlich wie Schuppen von den Augen, daß ich inne wurde, was mit den »Entscheidungen« gemeint war, die nicht in der eigenen Brust gefordert werden, sondern vom anderswollenden, herrschsüchtigen, zwiespältigen Andern. Es sind Abdrängungen, Gebietsschmälerungen, Verzichtserklärungen, die er haben will. Schranke will er setzen; sich will er entgegensetzen, sein Urteil, seinen Begriff, seine Form. Der Freund war etwas erstaunt über mein Ungestüm; er erwiderte bedächtig, da nähme ich entweder zu viel auf mich, das Unmögliche sogar, oder er müsse glauben, ich begnüge mich damit, ein geistiges Luxusamt zu verwalten. Das verstand ich nicht; ich bat ihn, sich deutlicher auszudrücken. Er sagte: Es ist umsonst. – Was? Was ist umsonst? – Er schaute mich an. Der Geist in uns und der Geist in euch mischt sich nicht, sagte er, es ist nie gewesen, es wird nie sein. Es gibt keine Blüte, es gibt keinen Organismus, es gibt Konglomerat. Wo die Mischung scheinbar gelungen ist wie etwa bei Felix Mendelssohn, ist doch kein Tiefgang da, auch keine wirkliche Verschmelzung; es ist eine geniale Zwitterbildung mit übriggebliebenen Rudimenten, begünstigt durch eine Epoche, in der die Invasion des Fremden Wesens noch unbeträchtlich war und die Witterung für die Gefahr schwach. Damals und wohl noch ein halbes Jahrhundert lang lag mehr an der Kunst als am Menschen, man erklärte die Kunst für neutral; heute wird der Mensch geprüft und gewogen, und wir wissen, daß die verführendste, vollendetste Kunst Gift- und Krankheitskeime aussäen kann.

Mir war das alles nicht neu und doch wieder neu. In gewisser Beziehung war es wahr, in gewisser ein Abschaum von Unvernunft und Verdrehung. Es war sehr deutlich, wie mir vorkam, sehr borniert, sehr kategorisch, Philosophie und Weltgericht aus eigener Machtvollkommenheit. Statt zu widersprechen, fragte ich ihn, ob er Bücher von mir kenne, irgendeines, ein einziges nur; er werde begreifen, daß ich mich nicht aus Eitelkeit danach erkundige. Seine Züge wurden sonderbar starr. Ich ließ ihn nicht, ich bedrängte ihn wie Jakob den Engel. Warum er es verhehle? Ob sie ihn nicht wankend gemacht hätten an seinem Lehrsatz? Ob er mit der geringsten Kenntnis davon als ehrlicher Mann, als denkender, schauender, fühlender Mann das Wort aufrechterhalte? Er wich aus. Er schien betreten, ja beklommen. Schließlich sagte er: Wenn ich es auch in deinem Fall bedingungsweise zugeben könnte, was wäre damit bewiesen? Ich will es zugeben, weshalb nicht? Ich war ja stets der Meinung, du seiest ein Ausnahmeexemplar, ich will zugeben, daß du Ströme des Ostens zu uns geleitet, Gesichte des Ostens uns entschleiert hast; zugeben, daß deutsche Art in dir ist, Art von unserer Art, rätselhaft wie, aber sie ist da; zugeben, daß da etwas wie Verschmelzung, neue Synthese vor sich gegangen ist; aber was ist damit bewiesen? Es wäre nur die Regel bestätigt.

Darauf antwortete ich ihm, inbrünstiger und eindringlicher, dünkt mich, als ich je zu ihm gesprochen: Ist es vorstellbar, so ist es möglich. Gibt es die Idee davon, so ist die Erscheinung nur die nächste Folge. Hat es ein Einzelner erreicht, so ist es überhaupt erreichbar. Ich bin nur scheinbar ein Einzelner, ich stehe für alle, ich bin Ausdruck eines bestimmten Zeitwillens, Geschlechterwillens, Schicksalswillens. In mir sind alle, auch die Widerstrebenden, ich schaffe Bahn für alle, ich räume die Lüge weg für alle, und daß ich da bin, ist Beweis. Die

Ausnahme bestätigt nicht die Regel, sie bricht die Regel. Es ist immer ein erster Tropfen, der den Fels durchhöhlt.

Ich weiß nicht mehr, was er mir entgegnete. Wir trennten uns dann bald.

18

Ich war schon um die Mitte des Jahres 1898 von München weggezogen und hatte mein Domizil in Wien aufgeschlagen. Dort konnte meines Bleibens nicht länger sein. Wie schon angedeutet, hatte mich eine Frau an den Rand des Verderbens gebracht, und hätte ich nicht das unheilvolle Band mit einem leidenschaftlichen Entschluß durchschnitten, so wäre es mit mir zu Ende gewesen. Vier Jahre hatte ich dumpf und flammend in einer erotischen Sklaverei verbracht, namenlos erfüllt, unbedingt hingegeben, dabei geschändet und mißbraucht im Innern; meine ganze Natur war davon versengt und angefault, meine moralische Existenz bedroht, meine bürgerliche schwankte schon, Freunde kehrten sich ab, Wohlwollende verschlossen mir ihr Haus, Verleumdung und Klatsch besudelten meinen Namen, und so gab es am Ende keine Rettung als Bruch und Flucht.

Vielleicht hätte ich mich nicht aufzuraffen und die Fesseln zu zerreißen vermocht, wäre nicht ein junges Mädchen gewesen, eine siebzehnjährige russische Jüdin, die wie ein liebendes Madonnchen in meinen verwunschenen Kreis trat und, wenn ich's recht bedenke, die erste Glücksbringerin war. Nur durch ihre Art zu sein, zu lächeln, zu verstehen, eine stummschenkende, ergreifende wahre Art, half sie mir über das Schwere und machte, daß ich vergaß und beharrte. Sie war Tabakarbeiterin, in ärmlichsten Verhältnissen, doch sie hätte eine junge Fürstin sein können; sie war so stolz wie anmutig, so großen Sinns wie gehalten in ihrem Wesen. Rasch, wie wir uns gefunden, verloren wir uns wieder.

Das Leben in Wien und Österreich wirkte wohltätig auf mich durch seine leichtere Form. Da waren Widerstände aufgehoben, die ich bei uns auf Schritt und Tritt gespürt habe. Die Menschen kamen mir freier entgegen, williger, offener, und wenn es sich auch meistens erwies, daß sie sich durch ihr Entgegenkommen nicht für sonderlich verpflichtet hielten, ja, daß sie gewissermaßen jedem ausgestellten Wechsel auf Verläßlichkeit mit naivem Bedauern bei der Vorzeigung die Anerkennung und natürlich auch die Zahlung verweigerten, überhaupt in listig-unschuldige Verwunderung gerieten, wenn man sich einfallen ließ, aus ihrem Wort die Folgerung des Vertrauens zu ziehen, so war doch der Alltag ohne die verletzende Reibung, der Ton des Verkehrs gutmütiger und unverfänglicher. Man mußte nur wissen; man mußte sich mit einer bestimmten Erfahrung gürten und nicht immer mit dem schmucklosen Anspruch auf den Plan treten. Das lernt sich. Es lernt sich auch bei einiger Schmiegsamkeit in Italien, wo verwandte Fehler den moralischen Hochmut des Deutschen reizen.

Aber dies geht wohl tiefer, und es ist nötig, die Tiefe zu sondieren. Ich lebte ja nicht nur dem Bild und Gedicht; ich war auch, im heimlichen Bewußtsein, darauf angewiesen, den Boden zu erforschen, auf dem es Wurzel schlägt und die Atmosphäre, in der es gedeiht. Ich wußte um die Menschen, die Vorwand waren zur Gestalt, und in die Absonderung, die ich mir hart erkämpfte, drang ihre Welt noch laut genug. Heute steht diese österreichische Welt vor mir, wie ich sie zwei Jahrzehnte hindurch erlebt habe, halb nehmend, halb wehrend.

Ich war als erzogener Deutscher gewöhnt, eben das Deutsche, Land und Volk, als ein Ganzes zu empfinden, unbezweifelbar, in seiner Rundheit und Faßlichkeit erfreulich, in keinem Bezug mißzuverstehen. Hier dagegen war durchaus alles fragwürdig, Land, Volk, Staatsform,

Lebensform, Nationalität und Gesellschaft, Überlieferung und Abfall von ihr, Politik und Kunst, Organisation und Individuen. Das Fragwürdige übt Lockung aus, namentlich in seiner Oberflächenschicht, und die Genießer und Ferienbeobachter haben ja nicht versäumt, sich in ihrer Weise daran zu letzen. Aber das immer heftigere Gegeneinander der verschiedenen Kräfte führte zum Verhängnis. Eine von Jahrhunderten legitimierte Bedrükkung, die unter der Flagge von Schlichtung und Ausgleich selbstsüchtige Herren- und Hausmachtpolitik trieb, konnte nicht ohne Einfluß auf das öffentliche und private Leben bleiben. Die mit träger Geduld vollgesogene Masse war solange Spielball und Opfer einer herzlosen Regierungsmaschinerie gewesen, solange betört und betrogen von einem System, das sich aller verfügbaren Kräfte schlau zu versichern wußte, um sich im gegebenen Zeitpunkt, der Versprechungen und Verträge nicht achtend, mit frivolem Achselzucken ihrer zu entledigen, solange das Mittel zum Zweck für eine Minderzahl von Mächtigen, an deren Vorrechte es glaubte oder zu glauben gezwungen wurde, solange bevormundet in seinen geistigen und religiösen Bedürfnissen, so sehr daran gewöhnt, gierige Ansprüche zu erfüllen: der Kirche, des Hofes, der Aristokratie, des Großgrundbesitzes, daß keine Menschenweisheit dies zum heilsamen Ende lenken konnte.

Österreichische Art wurde im Reich mit einer gewissen nachsichtigen Geringschätzung betrachtet. Wenn irgendein Berliner Bruder Liederlich nach Wien kam, irgendein Spießbürger, der in seiner heimischen Langeweile anspruchsvoll geworden war, und vom süßen Schaum des südlicheren, flinkeren Lebens genippt hatte, fand er sich zum dauernden Zensor über Land und Menschen befugt. Jedes Urteil war Vorurteil. Das geschmackvolle und bestechende Kostüm der Metropole, angeborene Ritterlichkeit und Gastlichkeit der Bewohner täuschte über die Wunden und Abgründe. Man war nicht scharfsichtig, man war nicht genau, man nahm es nicht ernst. Ob es sich um Buch oder Bild handelte, um Lehre oder Kunst, die von dort ausging: man nahm es nicht ganz ernst. Außer bei Musik und Schauspielerei; da lag Unwidersprechliches vor, unwiderlegliche Meisterschaften, die waren Verdienst und ureigenste Blüte, wenn schon nicht selten beide durch Üppigkeit und gar zu unbeschwerte Heiterkeit dem gründlicher veranlagten Stammesgenossen sich verdächtig machten, wo es gerade noch erlaubt war, Verdacht zu hegen. Kurz, man hatte seine Einwände, seine Klauseln und Abstriche auf der großen Merktafel. Ich habe selbst Erfahrung darin. Von der Zeit an, wo ich meine Bücher in Österreich schrieb, war ich in den Augen von vielen meiner deutschen Kritiker gesunken. Man konnte mich, logischerweise, nicht mehr ganz ernst nehmen. Auch nahe Freunde unkten, warnten und verübelten es mir, daß ich bei den »Phäaken« seßhaft geworden war.

Daß ich durch das allgemeine wie durch das Wesen einzelner empfindlich zu leiden hatte, will ich nicht leugnen. Heute, wo die Zerstörung am Tage liegt, der deutsche Teil der Nation ins Mark getroffen ist, seine Kräfte verwirtschaftet, seine Hilfsquellen erschöpft sind, weiß jedes Kind Bescheid. Mich bedrückte die Ahnung lange zuvor. Denn ich sah, es war kein Mittelpunkt und keine Gemeinsamkeit; das bis zum Zynismus offene Bekenntnis der sich selbst spürenden Unzulänglichkeit widerte mich; es widerte mich der Taumel, die Zermürbung, der geistlose Despotismus, die Zuchtlosigkeit. Schäden wurden nicht erkannt oder, wenn erkannt, so verschwiegen; die Politiker waren durch Parteirücksichten gehemmt, wobei eine perverse Jovialität selbst ihre Gehässigkeit abstumpfte; die Schriftsteller in ihrer Mehrzahl waren nicht unabhängig oder, wenn unabhängig, so einseitig an Sexualität, Theater und überschminkte Gesellschaftlichkeit verdingt, was bis zu niedrigem Klatsch und grinsender Felonie ausarten konnte. Keine menschliche Betätigung fand Widerhall, kein höheres Interesse selbstlose Zustimmung; wer Wege abseits vom Trivialen und Beliebten suchte, war verfemt, und jede Tätigkeit, die eine innere, fernere Folge haben sollte, wurde besudelt oder schlechthin verlacht.

Aber der Deutsche hätte sich durch das Wissen um die Schatten und Laster, das ja oft von dorther rührendes Eingeständnis war, nicht beirren lassen dürfen. Er hat durch seine Überheblichkeit im Entstehen vernichtet, was sicherlich einmal bestimmt war, ihn reicher, voller, ausgeglichener zu machen. Er hätte Erbe eines blühenden Besitzes sein können; jetzt wächst ihm, bestenfalls, ein geplünderter zu. Liebe zu erwecken hat er nirgends verstanden, so auch hier nicht. Er achtet die Herzen nicht, er zertritt sie plump, indem er ihnen Vorschrift einbläut. Dieses Österreich, ich sehe von den Menschen ab, in seiner Fülle von beseelter Landschaft, heroischer und idyllischer, zarter und gewaltiger, einschmeichelnder und grandioser, der Durchsichtigkeit und Weichheit seiner Atmosphäre, seiner Helligkeit, seiner Unverbrauchtheit, könnte wohl in manchem Betracht heilend, erneuernd und umwandelnd auf deutsches Wesen wirken; ich möchte sagen musikalisierend, wenn das Wort gelten darf. Mich wenigstens hat es geheilt, erneuert und umgewandelt, als ich, ein Gebrochener, dort Aufnahme fand. Es hat mich, vielleicht durch seine Landschaft, vielleicht durch seine Luft, vielleicht durch seltene Menschen auch, die mir begegnet sind, gelehrt, was Form ist, Zucht der Sinne, Rhythmus der Linie. Draußen hatte ich die Pfeiler gesetzt, hier konnte ich die Bogen wölben.

Was nun die Menschen im allgemeinen betrifft, so ist ihnen, im guten wie im schlimmen, etwas Naturhaftes eigen, Wechsel und Laune der Natur, Unbedingtheit und Bildsamkeit. Ein leiser Hauch von Orient weht um sie; von uralten germanischen, römischen, keltischen Elementen sind sie getragen; die Nähe slawischer Welt und stellenweise Durchblutung von ihr hat den Charakter vielfach erweitert und vertieft; Traditionen der Vergangenheit sind noch tragfähig; das Individuelle ist noch nicht überzüchtet, das Typische noch nicht leer; es ist noch Gebärde da, Maske, Spiel, Dunkelheit in der Entwicklung, Geheimnis in der Beziehung.

19

Ein Umstand machte mich bereits nach kurzem Aufenthalt in Wien stutzig. Während ich draußen mit Juden fast gar keinen Verkehr gepflogen hatte und bloß hier und da einmal einer, von dem es weder ausdrücklich von andern noch von ihm selbst betont wurde, daß er Jude sei, in meinem Bezirk aufgetaucht war, zeigte es sich, daß hier fast alle Menschen, mit denen ich in geistige oder herzliche Berührung kam, Juden waren. Außerdem wurde es von andern stets betont, und sie betonten es selbst. Dies zwang mich zur Abwehr, da mir eine solche Exklusivität das Blickfeld beengte.

Ich erkannte aber bald, daß die ganze Öffentlichkeit von Juden beherrscht wurde. Die Banken, die Presse, das Theater, die Literatur, die gesellschaftlichen Veranstaltungen, alles war in den Händen der Juden. Nach einer Erklärung mußte man nicht lange suchen. Der Adel war vollkommen teilnahmslos; mit Ausnahme einiger Fehlgeratener und Ausgestoßener, einiger Abseitiger und Erleuchteter, hielt er sich nicht nur ängstlich fern von geistigem und künstlerischem Leben, sondern er fürchtete und verachtete es auch. Die wenigen patrizischen Bürgerfamilien ahmten den Adel nach; ein autochthones Bürgertum gab es nicht mehr; die Lücke war ausgefüllt durch die Beamten, Offiziere, Professoren; danach kam der geschlossene Block des Kleinbürgertums. Der Hof, die Kleinbürger und die Juden verliehen der Stadt das Gepräge. Daß die Juden als die beweglichste Gruppe alle übrigen in unaufhörlicher Bewegung hielten, ist nicht weiter erstaunlich. Dennoch war meine Verwunderung groß über die Menge von jüdischen Ärzten, Advokaten, Klubmitgliedern, Snobs, Dandys, Proletariern, Schauspielern, Zeitungsleuten und Dichtern. Mein Verhältnis zu ihnen, innerlich wie äußerlich, war von Anfang an ein höchst zwiespältiges. Um aufrichtig zu sein, muß ich gestehen, daß ich mir bisweilen wie in Verbannung geraten unter ihnen erschien. Ich war bei den deutschen Juden mehr an bürgerliche Abgeschliffenheit und soziale Unauffälligkeit gewöhnt. Hier wurde ich eine gewisse Scham nie ganz los. Ich schämte mich ihrer Manieren, ich schämte mich ihrer Haltung. Die Scham für den andern ist ein ungemein quälendes Gefühl, am quälendsten natürlich, wo Blut- und Rasseverwandtschaft im Spiel ist, und man durch ein unabwälzbares inneres Gebot wie infolge moralischer Selbsterziehung verpflichtet ist, für jede Äußerung und jede Handlung von ihm in irgendwelcher Weise einzustehen. Wahre Verantwortung ist wie ein mit Herzblut unterschriebener Vertrag. Er bindet über alle Einwände der Vernunft hinaus, und Freiwilligkeit und Urteil vermögen nichts gegen ihn.

Diese Scham steigerte sich manchmal bis zur Verzweiflung und bis zum Ekel. Anlaß war das Geringe wie das Bedeutende; das Idiom; schnelle Vertraulichkeit; Mißtrauen, das das unlängst verlassene Ghetto verriet; apodiktische Meinung; müßige Grübelei um Einfaches; spitzfindiges Wortefechten, wo nichts weiter nötig war als Schauen; Unterwürfigkeit, wo Stolz am Platze war; prahlerisches Sichbehaupten, wo es galt, sich zu bescheiden; Mangel an Würde, Mangel an Gebundenheit; Mangel an metaphysischer Befähigung. Gerade dies letztere bestürzte mich am meisten bei den Gebildeten. Es ging ein Zug von Rationalismus durch all diese Juden, der jede innigere Beziehung trübte. Bei den Niedrigen äußerte es sich und wirkte im Niedrigen, Anbetung des Erfolgs und des Reichtums, Vorteils- und Gewinnsucht, Machtgier und gesellschaftlichem Opportunismus; bei den Höheren war es das Unvermögen zur Idee und Intuition. Die Wissenschaft war ein Götze; der Geist war unumschränkter Herr; was sich der Errechnung versagte, war untergeordnete Kategorie; errechnet werden konnte auch das Schicksal, zerfasert die heimlichsten, dunkelsten Gebiete der Seele. Es war überhaupt in ihnen ein Wille und Entschluß zur Entgeheimnissung der Welt, und sie wagten sich darin so weit, daß in vielen Fällen, für mich wenigstens, Schamlosigkeit von Forschertrieb nicht zu unterscheiden war. Mich dünkt, die Menschheit gewinnt auf der einen Seite nicht so viel durch Entschleierung an Wissen und an Kraft, wie sie auf der andern durch Entweihung an Scheu und fragender Demut verliert. Wahrheit ist doch nur im Bilde und in der Ehrfurcht.

Ausgezeichnete Eigenschaften einzelner traten im Umgang gewinnend hervor, Verstand und Güte, Bereitschaft zu dienen, zu fördern, Blick für das Seltene, das Kostbare; sie hatten Wärme, Gabe der Ahnung sogar, ein nervöses Mitschwingen war ihnen eigen, ungeduldiges Vorauseilen oft, wobei das Tempo über die Intensität und Tiefe täuschte. Ich lernte sehr kultivierte Juden kennen, verfeinert bis zur Gebrechlichkeit; man hätte glauben mögen, mit ihnen als letzten müden Sprossen sei die Rasse am Endpunkt der Bahn angelangt. Dann wieder Typen des entgegengesetzten Gepräges: unverbrauchte Sendlinge einer breiten, der europäischen Zivilisation noch abgekehrten, aber drohend zu ihr drängenden, feindselig oder begehrlich von ihr faszinierten Schicht. Sie waren erfüllt von brutaler Entschlossenheit, sich durchzusetzen; sie kamen als Eroberer, erzwangen sich Raum, bemächtigten sich binnen kurzem und in skrupellosem Wetteifer der Hilfsmittel, die ihnen Staat und Gesellschaft gewährten. Zwanzig Jahre später gründeten ihre Söhne bereits literarische Wochenschriften oder publizierten Gedichtbände allermodernsten Stils, und ihre Töchter hatten sich dermaßen mimikrisiert, daß sie sich in Allüre und Ausdrucksweise von den Komtessen mit sechzehn Ahnen kaum mehr unterschieden. Daneben aber gab es Erscheinungen von strenger Art, Einsame; Lautlose; beharrliche Wühler; Menschen von hagerer Geistigkeit, bei welchen die harte und finstere Religion der Väter ein hartes und finsteres Verhältnis zum Leben selbst erzeugt hatte. Unsinnlich, negierten sie, was an der Menschheit Blüte ist, übertragene Form und wurden, genau wie die Väter, denen gegenüber sie doch Abtrünnige waren, Geknechtete einer Lehre und unermüdliche Werber dafür. Auch sie waren entschlossen, sich durchzusetzen.

Um die Zeit, als ich nach Wien kam, war gerade der Zionismus im Entstehen. Der dauernde Zuzug aus dem Osten und Norden des Reichs schuf eine völlig andere Stimmung unter den Juden und völlig andere Zusammensetzungen, als sie mir bis dahin bekannt waren. Die Kunde von den Schändlichkeiten, die die zaristische Regierung beging, die unbezweifelbaren Zeugnisse über Bedrückungen, Mord, Folter und Vergewaltigung, Beugung des Rechts, Verhöhnung des Gerichts, zudem die jammervolle soziale Lage der Juden sogar in den österreichisch-slawischen Provinzen hatten nach und nach eine außerordentliche Gärung hervorgerufen, und einige Männer von Mut und Willen widmeten sich dem Plan der Errichtung eines palästinischen Reiches. Die Wirkung war gewaltig. Daß der Siedlungsgedanke nicht als solcher propagiert wurde, daß er sich als staatliche Gründung ins Politische gesteigert und weiterhin als religiöse Idee in messianischer Fassung darbot, verschaffte ihm zahllose Anhänger. Ich hörte damals von Juden, die irgendwo in Podolien oder in der Bukowina ihr geplagtes Dasein schleppten und in Tränen ausbrachen, als die neue Heilsbotschaft zu ihnen gelangte. Ich hörte von solchen, die sich auf die Wanderung begaben, tage-, wochenlang, um nur den Mann mit Augen zu sehen und, wie sie sich ausdrückten, den Saum seines Gewandes zu küssen, den Propheten, den Ersehnten, der ihnen die Möglichkeit dieses Glücks geschenkt hatte. Sie hatten ja unter einem gefrorenen Himmel gelebt, seit Jahrhunderten, und ihre Welt war ein Kerker gewesen.

Mein persönliches Verhalten zu dieser Bewegung war unsicher, bisweilen schmerzlich unsicher. Erstens mußte ich von Anfang den Sinn ganz anders richten, da ich mich ja in ganz andere Zusammenhänge eingelebt hatte. Manche der Adepten sagten, ich müsse erwachen, und ich würde auch eines Tages erwachen, zur Wahrheit und zur Tat erwachen. Sie wußten von mir nichts. Zweitens hatte es sich gefügt, daß ich mit dem Schöpfer der Idee gesellschaftlich in Berührung gekommen war, und daß ich weder Zuneigung für ihn fassen konnte, für ihn als Schriftsteller nicht und als Menschen nicht, noch an seine Ungewöhnlichkeit und Größe zu glauben vermochte, wie er es voraussetzte und heischte. Ich kann nicht umhin, dessen Erwähnung zu tun, weil es mich im stillen oft beschäftigt hat und mir zum Selbstvorwurf geworden ist. Das Bedeutende eines Menschen wesentlich und nachhaltig verkennen, wäre nicht allein Blindheit, sondern auch Verblendung. Ich war verstockt; ohne Zweifel auch nicht willig; der Anblick und die Nähe kleiner Schwächen und Eitelkeiten verdroß mich, und Gefolgschaft zu leisten, war mir nicht gegeben, nicht bestimmt. Weil ich den Menschen zu übersehen glaubte, übersah ich sein Werk, schuldvolles Wortspiel, an das sich viel Wahn und Irrtum knüpft.

Daß ich von Juden immer wieder für diese lebenswichtige jüdische Sache gefordert wurde, ist begreiflich. Es setzte mich stets in Verlegenheit. Ich war bereit, die Leistung anzuerkennen, die dafür aufgewendet wurde, Opfer und Hingabe, auch die Hoffnung zu teilen, aber ich selbst stand nicht da, wo sie standen. Ich fühlte nicht die Solidarität, auf die sie mich verpflichten wollten, nur weil ich Jude war. Die religiöse Bindung fehlte, aber auch die nationale Bindung fehlte, und so, in meinem noch nicht zur Klarheit gediehenen Widerstreben, vermochte ich im

Zionismus vorläufig nichts anderes zu sehen als ein wirtschaftlich-philanthropisches Unternehmen. Es widerstrebte mir das, was sie die jüdische Nation nannten, rundweg gesagt, denn mir war, als könne eine Nation nicht von Menschen gewollt und gemacht werden; was in der jüdischen Diaspora als Idee davon lebte, schien mir besser, höher, fruchtbarer als jegliche Realität; was war gewonnen, so schien es mir, wenn im Jahrhundert des Nationalitätenwahnsinns die zwei Dutzend kleinen, in Hader verstrickten, aufeinander eifersüchtigen, einander zerfleischenden Nationen durch die jüdische zwei Dutzend und eine geworden wären? Historisch-psychologisch betrachtet, war ich vielleicht im Recht; die aus der Not geborene Erscheinung gab mir in jedem Augenblick Unrecht. Und die Not baut den Weg.

Der Konflikt blieb bestehen. Es handelte sich um die Menschen, um ihr Antlitz, um ihr Wesen, um ihre Gebärde, ihr Wort, ob sie in mir waren schließlich, ob ich in ihnen war. Ich konnte den oder jenen würdigen, schätzen, lieben, weil er so war, wie er war, eben dadurch würdigens-, schätzens-, liebenswert. Ich konnte aber nicht eine Gruppe, eine Gesamtheit würdigen, schätzen und lieben, nur weil man mich in den Verband einschloß. Vielleicht können es andere; mich hatte Gott nicht so geschaffen. Wirft man mir entgegen: um der Idee willen mußt du die Gruppe, die Gesamtheit, das Volk lieben, so erwidere ich: zu einer Idee, einer unbeirrbaren, mich völlig durchdringenden und all meinem Tun gebietenden war ich bereits geboren; sie durch eine andere zu ersetzen oder ihr eine andere koordinieren, war nicht möglich, ist menschlich, geistig, organisch nicht möglich, oder es geht nicht mehr um Wahrheit und Ernst, sondern um Versuch, Gelegenheit und Lückenfüllen. Was man ist und tut, hat man ganz zu sein und zu tun; sonst könnte jeder die Geschäfte eines jeden betreiben.

Sah ich einen polnischen oder galizischen Juden, sprach ich mit ihm, bemühte ich mich, in sein Inneres zu dringen, seine Art zu denken und zu leben zu ergründen, so konnte er mich wohl rühren oder verwundern oder zum Mitleid, zur Trauer stimmen, aber eine Regung von Brüderlichkeit, ja nur von Verwandtschaft verspürte ich durchaus nicht. Er war mir vollkommen fremd, in den Äußerungen, in jedem Hauch fremd, und wenn sich keine menschlich-individuelle Sympathie ergab, sogar abstoßend. Viele Juden, die sich Juden fühlen, verhehlen sich dies; einem Pflichtbegriff oder Parteidiktat zuliebe oder um feindlichen Angriffen keinen Zielpunkt zu geben, üben sie Zwang auf sich aus. Das hat in meinem Fall keinen Zweck mehr. Ich rufe auch nicht zur Nachahmung auf und sage nicht, daß es gut war, was ich tat, und wie ich mich verhielt; ich schildere einfach mein Erlebnis und meinen Kampf. Vor wenig Jahren sprach ich einmal mit einem mir befreundeten Jüdisch-Nationalen, einem sehr edlen Mann und vorbildlichen Menschen über das mich Bedrückende und die andern Beirrende. Ich sagte: Ist die Ursache des Zwiespalts nicht darin zu suchen, daß Sie ein jüdischer Jude sind und ich ein deutscher Jude? Sind das nicht zwei Arten, zwei Rassen fast oder wenigstens zwei Lebensdisziplinen? Bin ich nicht dadurch ausgesetzter als die meisten, da ich ja nach keiner Seite mich beuge, nach keiner Seite einen Kompromiß schließe und nur, auf einem Vorposten, mich und meine Welt zum Ausdruck bringen, zur Brücke machen will? Bin ich nicht am Ende nützlicher als einer, der auf eine bestimmte Marschrichtung vereidigt ist?

Er ließ sich auf Erörterungen nicht ein und entgegnete lächelnd: Sie sollen sich mit all dem gar nicht quälen; Sie sind Dichter, und als Dichter haben Sie einen Freibrief. Ich erinnere mich, daß mich die Antwort schmerzte und verletzte, denn trotz herzlichen Wohlmeinens lag eine gewisse ausweichende Abschätzigkeit in ihr, als wolle er sagen: wir sind auf dich nicht angewiesen und können auf dich verzichten.

Wenn mir die Frage gestellt würde: bei welchen Männern und Frauen hast du am meisten Verständnis, Ermunterung, Echo und Anhängerschaft gefunden, so müßte ich antworten: bei jüdischen Männern und Frauen.

Wenn man an irgendeinen Dichter oder Künstler nichtjüdischen Ursprungs dieselbe Frage richten würde, so müßte, in der Mehrzahl der Fälle, dieselbe Antwort erfolgen. Ich habe die Probe gemacht; ich habe mich bei vielen Leuten von Rang erkundigt; meine Vermutung, die schon halbe Gewißheit ohnehin war, ist jedesmal bestätigt worden. Und wer die Lebensläufe der Neuerer und Schöpfer des neunzehnten Jahrhunderts erforscht, sei es in Briefen, in gelegentlichen, freilich oft sehr versteckten Äußerungen, sei es im Urteil, nämlich im erstgeborenen Urteil der Zeitgenossen, oder in den Formern und Trägern der öffentlichen Meinung, wird es auch dort bestätigt finden. Juden waren Entdecker, Empfänger, Verkünder, Biographen, waren und sind die Karyatiden fast jeden großen Ruhms.

In meinem persönlichen Fall gibt es allerdings eine Erschwernis und eine recht eigentümliche. Der gebildete Jude kann sich kaum entschließen, an die schöpferische Fähigkeit eines Juden zu glauben. Mit abnehmendem Grad der Bildung wird daraus die unverhohlene zynische Skepsis. Hier liegt wahrscheinlich ein Atavismus zugrunde, die von Zeitengedächtnis aufbewahrte Gewöhnung des Dichtbeieinander von Haus und Mensch; Verkettetsein und Zueinanderverurteiltsein; ein rohes Ichkennedich äußert sich so, du machst mir nichts vor, ich weiß zu viel von dir, ich verstehe mich auch auf die Handgriffe; es ist, als begegneten sich zwei Gaukler. Doch spüre ich auch einen profunden Demokratismus darin, der Jahrtausende zurückweist auf die natürliche Gleichheit bei Nomadenvölkern, wo keiner sich über den andern erhebt. Die Juden tragen gegen ihre großen Männer stets ein unausgesprochenes Gebot: Du sollst dich nicht über uns erheben, denn vor Gott sind wir alle gleich.

Nun hat sich das bildende, gestaltenbildende Element bei den Juden niemals frei entfalten können; die wahrhaft schöpferische Gabe ist verhältnismäßig sehr selten. Manche leugnen sie überhaupt; sie würden kein Beispiel gelten lassen, auch wenn man sich zuvor über den Begriff des Schöpferischen mit ihnen einigte. Die Sehnsucht nach dem Schöpferischen steckt aber in den Juden tiefer als in jeder andern Menschengattung; Sehnsucht nach dem Schöpfer: Sie erklärt sich aus dem jüdischen Gottesgefühl, aus der Gottesfurcht sozusagen, und es wäre zu untersuchen, wie und inwiefern Furcht und Sehnsucht gepaart ist oder Sehnsucht die Furcht bedingt.

In zahlreichen Ab- und Zwischenarten sah ich Sehnsucht sich verkünden, verlarvt und verkleidet oft; lächerlich oft und bizarr; lügenhaft und selbsterniedrigend. Ich kenne, kannte viele, die vor Sehnsucht nach dem blonden und blauäugigen Menschen vergingen. Sie betteten sich ihm zu Füßen, sie schwangen Räucherfässer vor ihm, sie glaubten ihm aufs Wort, jedes Zucken seiner Lider war heroisch, und wenn er von seiner Erde sprach, wenn er sich als Arier auf die Brust schlug, stimmten sie ein hysterisches Triumphgeschrei an.

Sie wollen nicht sie selbst sein; sie wollen der andere sein; haben sie ihn auserlesen, so sind sie mit ihm auserlesen, scheint es ihnen, oder wenigstens als Bemakelte vergessen, als Minderwertige verhüllt. Bis vor kurzem bemerkte ich sie in allen Theaterfoyers, so selten ich auch in Theater ging, und in allen Konzertsälen. Ich weiß nicht, ob sie noch dort sind.

Eine ergötzliche Figur war mir ein junger Wiener Jude, elegant, von gedämpftem Ehrgeiz, ein wenig melancholisch, ein wenig Künstler, ein wenig Schwindler; den hatte die Vorsehung selbst blond und blauäugig geschaffen, aber siehe da, er glaubte nicht an seine Blondheit und Blauäugigkeit; er hielt sie im Innersten für gefälscht, und da er in beständiger Angst lebte, auch andere könnten an der Echtheit zweifeln, ging er über das deutsche Ideal noch einen Schritt hinaus und wurde Anglomane, und zwar von strengster Observanz.

Aber was haben die Larven mit den Wesen zu tun? Ohne die Hingabe und den untrüglichen Enthusiasmus des modernen Juden wäre es um das Kunstverstehen und -empfangen der letzten fünfzig Jahre kümmerlich bestellt gewesen. Das hat schon Nietzsche immer wieder betont, dem die Antisemiterei, wie er es nennt, Greuel und Schrecknis war, mehr noch, Beleidigung. Juden waren bereit; Juden hatten das Ohr, das lauschte, das Auge, das sichtete; sie waren befähigt, das Geheimnis zu entdecken, das Wunderbare zu fassen, das Unerkannte zu erkennen. Ihr tätiger Enthusiasmus zwang oft genug den öffentlichen Geist zum Aufmerken, und ich kannte solche, bei denen dann alles Ergriffenheit war, als seien sie bis zur Stunde, die sie zu der beglükkenden Sendung erwählt, leeres Gefäß gewesen und könnten nun den neuen Inhalt kaum tragen und ertragen.

Frauen insbesondere fand ich so. Jüdische Frauen und Mädchen sind der edelste und verheißendste Teil des Judentums; in ihren reinen Bildungen unvergleichlich. Manche sind fördernd, einige rettend in meinen Bezirk getreten, die ersten Bestätigerinnen, die ersten, die nagenden Zweifel stillten, dem Ruf antworteten, die Gestalt grüßten, die innere Welt sozusagen agnoszierten.

Mir ist die gegenwärtig, die nach der Veröffentlichung der ›Juden von Zirndorf‹ zu mir kam, als Fremde, mit beflügelter Eile, als hätte sie dringende Botschaft auszurichten, Botschaft gleichsam von vielen Ungenannten. Sie bewirkte, daß die Ungenannten auf einmal freudig meine Einsamkeit bevölkerten, und daß das phantastische Unglaubwürdige, als welches jedes Werk, dem der es macht, erscheint, Bestand und Gültigkeit gewann. Es handelt sich dabei nicht um Zustimmung und Bejahung, gewiß nicht um Beifall und Bewunderung, sondern schlechthin um die Lebensprobe. Die wird entschieden durch solche Botinnen. Ich konnte ihr später schwer genugtun; sie war eigensinnig anspruchsvoll für mich, wollte immer das ausnahmshaft Letzte, verglich, prüfte, wog, stellte Muster vor mich hin und sagte sich vom Mißlungenen zornig los. Überdies muß ich lächeln, wenn ich denke, daß gerade sie erstaunlich blond und blauäugig war.

Dann sehe ich das Bild einer andern, sehr Beschwingten; von unendlicher geistiger Anmut, genialem Witz. Die Figur einer Dichtung war ihr so wirklich, daß sie mit ihr hadern, an ihr kranken konnte; beängstigend ihr forderndes, glühendes Mitsein in einer Sphäre, die den meisten nur ein bemalter Vorhang ist. Da fühlt man sich dann wörtlich genommen; verstanden wäre ein ausgelaugter Begriff, denn es ereignet sich eine sichtbare Wandlung, das Seltenste.

Wieder andere konnten sich geradezu ihres Schicksals entäußern. Dabei ist Verzicht, ja Askese; sinnliche Verkettung allein treibt so weit nicht, das Bild allein nicht. Ohne Zweifel ist eine Seelen- und Blutverfassung im Spiel, die den westlichen Rassen nicht eigen ist, eine mediumistische Fähigkeit, bereichert und erhöht durch den Willen zur Wahl und erst nach vollzogener Wahl sich hinzugeben.

21

Ich fürchte aber bisweilen, daß die Blüte dieser Entwicklung vorüber ist. Meine Zeichen sind: ich sehe Trunkenheit und Schwelgerei, wo früher Flamme war; Schwung und Impuls ist der modischen Übung gewichen, Gewöhnung dem Bedürfnis. Bevor ihnen geschenkt wird, erheben sie bereits die Prätension; sie diktieren Werturteile aus Geschmäcklerstimmung, baden sich in einer schwülen Fülle, und das Ungewöhnlichste ist gerade noch gut genug zu Schmuck und Kitzel.

Die Leidenschaft des Empfangens ist durch zwei oder drei Generationen hindurch befriedigt worden, nun sind die Sinne ermüdet und gehorchen nur dem schärfsten Reiz. Die Folge davon ist, daß allenthalben ein mißleiteter und unkeuscher Hang zur Selbstproduktion hervortritt. Jede arrivierte jüdische Familie stellt heute in die Reihe der Jugend einen ihrer Angehörigen als Schriftsteller, Maler, Komponisten oder Dirigenten, was ein wahres Ärgernis ist.

Sie wollen nicht mehr Schale sein, sie wollen Quelle sein. Bedenkt aber, wenn die Schale Quelle sein will, werden die Lippen verschmachten, die durstig daran hängen.

Ärgernis ist es darum, weil es Flucht vor menschlicher Verpflichtung und Beschönigung instinktmäßig gespürter Lebensuntüchtigkeit bezeichnet. Doch es ist Schlimmeres: Raubbau am Kräftevorrat. Die mütterlichen, das ist nährenden Elemente weichen den infantilen, das ist zehrenden, ein Symptom, das den Beobachter nicht bloß im Leben der Juden erschreckt, sondern das wieder im Zusammenhang steht mit der Krankheit der Epoche überhaupt, der Schrumpfung des Herzens und Hypertrophie des Intellekts. In welchem Maß das Judentum daran Teil hat, in welchem Grad es daran mitschuldig ist, bildet seit langem den Gegenstand meines peinvollsten Nachdenkens.

22

Es gibt Begegnungen, die zunächst unscheinbar und singulär sind, die aber in der Erinnerung wachsen, und von denen eine Magie der Deutung ausgeht.

Ich entsinne mich einer Nacht in einem Hamburger Kaffeehaus, vor acht oder neun Jahren. Ein junger russischer Jude nimmt an meinem Tische Platz, und nach kurzer Weile sind wir im Gespräch. Sein Vater ist im Gefängnis gestorben, seine Brüder sind in Sibirien, seine Schwester ist bei einem Pogrom ermordet worden. Er selbst ist arm, heimatlos und flüchtig. Gefällt es der Polizei, so kann er morgen verhaftet und ausgeliefert werden. In dieser Hinsicht waren damals die deutschen Behörden sehr dienstfertig gegen Rußland.

Er hat eine ungemein kühle Art zu berichten. Sein Gesicht ist weiß, kaum bewegt, seine Stirn schmal und hoch, die Augen von stumpfer Schwärze und sorgfältig verhaltenem Feuer. Ein mönchisches Gesicht. Er beherrscht die Rede, jeder Satz hat Schliff, er äußert auch das Beiläufige wie jemand, der zu seiner Sache, die zu verschweigen ihm obliegt, unerschütterlich entschlossen ist. Deshalb nimmt er auch jeden Widerspruch mit einem halb zerstreuten, halb verwunderten Lächeln auf. Es ist ein diplomatisches Verfahren, voller Vorsicht und voller Hintergrund, doch mit stetem, tiefem, beharrlichem Eingedenken. Alle Leidenschaft ist erstickt; an ihre Stelle ist ein eisiger, in seiner Eisigkeit versengender Fanatismus getreten. Und so, als Fanatiker, mit Bewußtsein, Unerbittlichkeit, Kälte und Glut bedient er sich der Doktrin, die ihn stützt und rechtfertigt. Ich erstaune über dreierlei: seinen Scharfsinn, sein Wissen, seine Heiterkeit. Obwohl er mir wurzellos erscheint, dermaßen aufgegeben, wie nur einer, der selbst Welt und Menschheit aufgibt, fühle ich doch mit jeder Sekunde gewisser: da ist der Explosivstoff, da ist der Mensch der Katastrophe.

Sein Erlebnis: ungeheuer, das individuelle wie das symbolische; seine Weise, es zu nehmen, zu sublimieren und es zum geistigen Motor zu machen: ungeheuer. Der Zeiten Schande wird entschleiert, wie es bei Shakespeare heißt, die Gerechtigkeit senkt ihr Haupt. Desungeachtet, warum verwandelt sich mir das strenge Männerantlitz zur medusischen Fratze? Ist es die furchtbare Anmaßung, daß sich der einzelne zum Richter ernennt über die gesamte Menschheit? Sicherlich etwas von dem. Es wäre nah gelegen, daß ich das uralte Aug um Aug, Zahn um Zahn aus seinem Wesen gehört hätte. Ich hätte es lieber gehört; es hätte auf Raserei schließen lassen, Stürme des Bluts. Hätte ich ihn resigniert gewünscht, human empfindsam, philosophisch wägend? Mitnichten.

Die schneidende Logik und das wissenschaftliche Fundament des Vernichtungswillens rissen die Kluft zwischen mir und ihm auf. Er war nicht nur gesonnen, die Vergeltung dem Schicksal zu entwinden, sondern er schleuderte der Gesellschaft die Absage auch im Namen derer zu, die noch unerweckt über ihrem Leid brüteten, ja im Namen derer sogar, die vom Leiden noch gar nicht getroffen waren. Damit warf er sich auch über diese zum Richter auf.

Es geht gegen die göttliche Idee, wenn der einzelne Mensch in dem Verhältnis zwischen Schuld und Sühne den Entscheidungsanspruch erhebt. Mit diesem Glauben stehe und falle ich. Mag er toben, mag er alles um sich her zerstören, mag er mit der Brandfackel in der Faust zum verfluchten Dämon werden; mit seiner Leidenschaft und durch sie unterwirft er sich doch der göttlichen Idee, so scheint es mir, denn er bleibt im Ring der Menschheit. Wenn er aber mit dem selbstverliehenen Rechtstitel auftritt und die mit den Gewichten von Jahrhunderten beladenen Waagschalen in ihrem unendlichen Schwanken zwischen Himmel und Hölle aufhalten und korrigieren will, so ist er nur der Feind des Menschengeschlechts und der, den Gott verstoßen hat.

Will er das sein? Nimmt er es auf sich? Ich denke, er

schreckt nicht davor zurück. Er hat alle Konsequenzen von vornherein gezogen. Dazu hat er ja seine Logik und sein Wissen.

Warum ist gerade aus dem altehrwürdigen, in heiligen Traditionen ruhenden Judentum der politische Radikalismus erwachsen? War der zermalmende Druck die Ursache? Ist die Spannung zwischen Sehnsucht und Erfüllung unerträglich geworden, so daß die Dämme brachen? War es die These nur, die die Antithese erzeugte? War der Kulturaufstieg gewisser Gruppen zu jäh und hat ihnen den Boden unter den Füßen entzogen? Ist es Herrschgier? Ist es Sklavenaufstand? Ist es Aposteltum und Märtyrertrieb oder herostratisches Gelüst?

Fragen über Fragen, die zu beantworten ich außerstande bin.

Erscheinungen von solcher Hochzucht und dynamischen Gewalt, wie ich eine dort in Hamburg kennenlernte, sind natürlich selten. Aber die Seltenheit mindert nicht nur nicht die Gefahr, sie erhöht sie im Gegenteil. Es sind späneanziehende Magneten von unwiderstehlicher Wirkung. Ihnen wohnt eine Kraft der Übertragung inne, der Entflammung, der Zerrüttung und Zersetzung, der Manifestierung, der Willensbrechung Schwächerer, der Gefolgsaufbietung, daß ihnen Widerstand nur der zu leisten vermag, der mit seinen Wurzeln fest in der Erde verklammert ist.

Es fallen ihnen mühelos zu: die Unzufriedenen; die Leugner; die Entsäfteten und Morschen; die Übersättigten; die Enttäuschten; die geborenen Verräter und die aus dem Verrat Nutzen ziehen; die Gottlosen und die Gottsucher; die am Wort hängen und ans Wort glauben; die dilettantischen Weltverbesserer; die Abenteurer; die Gelegenheitsmacher; die Piraten des öffentlichen Lebens, der Politik und der Literatur; alle, die ihr Leben mit wesenloser Opposition hinbringen – Legionen. Es fallen ihnen die in der Armut Verkommenen ebenso zu wie die aus miasmischem Luxus Flüchtenden, die Jugend, die ohne Idee ist, ohne Stern, aber mit irren, zuckenden Herzen – Legionen. Sie alle waren vielleicht einmal der Ausdruck der Schöpfung; jetzt wird aus jedem eine lebendige Phrase.

Der Prozeß ist so: Um zu herrschen, braucht der Geist die Gesinnung. Gesinnung aber tilgt den Sinn, zerschlägt das Bild, entfleischt die Gestalt, daß sie zum Skelett wird, zum Phantom. Wer Gesinnung hat, sieht nicht mehr die Gestalt und löst sich los vom Sein und Werden.

Der Geist gebiert Phrase. Wodurch ist die Menschheit dahin gelangt, wo sie ist, als durch Phrase? Die Phrase gleicht der entzündeten Zelle, die sich weiter frißt und endlich als Krebsgeschwür den Körper zerstört. Sie bläht sich und bläht sich und frißt und frißt und verfinstert die Erde und den Luftraum.

23

Diese Umstände, in Verflechtung mit den früher berührten, haben die Feuersbrunst des Hasses hervorgerufen und geschürt, deren Schauplatz zur gegenwärtigen Stunde Deutschland ist.

Nicht überraschend für den, der auf den Kompaß zu blicken gewohnt war und bisweilen die Leute am Steuer von Angesicht zu Angesicht sah. Nicht überraschend für mich.

Wer eine Geschichte des Antisemitismus schriebe, würde zugleich ein wichtiges Stück deutscher Kulturgeschichte geben.

Es wäre interessant, den lockenden Köder zu untersuchen, der hier und da aus ministeriellen Kabinetten und junkerlichen Meinungsbrauereien auf die Straße flog, und auf den der hungrige Michel wahllos gierig anbiß.

Es wäre interessant, die vielfältigen und in ihren Folgen verhängnisvollen antisemitischen Machenschaften aufzudecken, mit denen in den siebziger und achtziger Jahren die eingeschworenen Wagnerianer in einem seltsamen Zustand von Bezauberung und geheimnisvoller Unruhe die deutsche Welt über das Mißverhältnis zwischen Wagner, dem expressiven Deutschen, und Wagner, dem Musiker, hinwegzutäuschen wußten; denn dort war die Zentralhexenküche.

Es ist nicht meines Amtes.

Leider steht es so, daß der Jude heute vogelfrei ist. Wenn auch nicht im juristischen Sinn, so doch im Gefühl des Volkes.

Leider steht es so, daß man den Beauftragten wie den freiwilligen Hetzern einen Grund nicht absprechen kann. Bei allem Bildersturm, allem Paroxysmus oder sozialen Forderung waren Juden, sind Juden in der vordersten Linie. Wo das Unbedingte verlangt, wo reiner Tisch gemacht wurde, wo der staatliche Erneuerungsgedanke mit frenetischem Ernst in Tat umgesetzt werden sollte, waren Juden, sind Juden die Führer.

Juden sind die Jakobiner der Epoche.

Wäre irgend Billigkeit zu erwarten, so müßte freilich zugestanden werden, daß diese Juden fast ohne Ausnahme von ehrlicher Überzeugung beseelt waren, Idealisten, Utopisten, Heilbringer, als welche sie sich in der Welt empfanden; so müßte zugestanden werden, daß in ihrem Tun eine vielleicht unsinnige und schuldvolle, vielleicht aber auch weit in die Zukunft deutende Folgerichtigkeit liegt: die Überpflanzung der vom Judentum empfangenen Messiasidee aus dem religiösen ins Soziale. So müßte ferner zugestanden werden, daß bei genauer Prüfung, wer aus der Verwirrung Vorteil gezogen, wer sein Schäfchen ins Trockene gebracht, wer in die Flamme geblasen, solange es unbemerkt und ungefährdet geschehen konnte und sich zu bergen wußte, als die gute alte Polizei sich ins Mittel legte, keinesfalls sie die Belasteten wären. Zugestanden müßte werden, daß sie die Kastanien aus dem Feuer geholt haben, und, da die Kastanien verbrannt sind, man ihnen dafür die Hände abzuhacken beschließt.

Zugestanden müßte auch werden, daß Juden ebenso die Bewahrer und Hüter der Tradition sind, Kundige und Diener des Gesetzes.

Aber Billigkeit ist nicht zu erwarten. Auf Billigkeit ist es auch nicht abgesehen. Auf den Haß ist es abgesehen, und der Haß lodert weiter. Er macht keinen Unterschied der Person und der Leistung, er fragt nicht nach Sinn und Ziel. Er ist sich selber Sinn und Ziel.

Es ist der deutsche Haß.

Ein vornehmer Däne sagte zu mir: Was wollen eigentlich die Deutschen mit ihrem Judenhaß? In meinem Vaterland liebt man die Juden fast allgemein. Man weiß von ihnen, daß sie die verläßlichsten Patrioten sind; man weiß, daß sie ein ehrenhaftes Privatleben führen; man achtet sie als eine Art Aristokratie. Was wollen die Deutschen?

Ich hätte ihm antworten müssen: den Haß.

Ich hätte ihm antworten müssen: Sie wollen einen Sündenbock. Immer, wenn es ihnen schlecht ergangen, nach jeder Niederlage, in jeder Klemme, in jeder heiklen Situation machen sie die Juden für ihre Verlegenheit verantwortlich. So ist es seit Jahrhunderten. Drohende Erbitterung der Massen wurde stets in diesen bequemen Kanal geleitet, und schon die Kurfürsten und Erzbischöfe am Rhein hatten, wenn ihre Waffengänge mißlungen und ihre Schatzkammern geleert waren, eine sicher funktionierende Regie in der Veranstaltung von Judenmetzeleien.

Ich antwortete aber: Ein Nichtdeutscher kann sich unmöglich eine Vorstellung davon machen, in welcher herzbeengenden Lage ein deutscher Jude ist. Deutscher Jude; nehmen Sie die beiden Worte mit vollem Nachdruck. Nehmen Sie sie als die letzte Entfaltung eines langwierigen Entwicklungsganges. Mit seiner Doppelliebe und seinem Kampf nach zwei Fronten ist er hart an den Schlund der Verzweiflung gedrängt. Der Deutsche und der Jude: ich habe einmal ein Gleichnis geträumt, ich weiß aber nicht, ob es verständlich ist. Ich legte die Tafeln zweier

Spiegel widereinander, und es war mir zumute, als müßten die in beiden Spiegeln enthaltenen und bewahrten Menschenbilder einander zerfleischen.

Der Däne erwiderte einfach: Ich glaube, die Deutschen haben zu wenig Liberalität, wenigstens seit der Gründung des Reiches.

Es ist wahrscheinlich so, aber es ist auch das Geringste, was man darüber sagen kann. Es fehlt auch an Phantasie, an Freiheit und an Güte. Ein wesentlicher Defekt muß da sein, wenn ein Volk so leichterdings, so gewohnheitsmäßig, so skrupellos, keine Berufung hörend, keiner redlichen Auseinandersetzung zugänglich, keiner großmütigen Regung in diesem Punkt fähig, ein Volk, das unablässig von sich selbst verkündet, in Bildung, Kunst, Forschung und Idealismus an der Tête der Völker zu marschieren, dauernd solche Unbill übt, solchen Hader sät, solch berghohen Haß häuft.

Ich versuche, mein Gleichnis von den Spiegeln zu deuten.

Daß eine Schicksals- und Charakterähnlichkeit vorhanden ist, leuchtet ein. Hier wie dort jahrhundertelange Zerstückelung und Mittelpunktslosigkeit. Fremdgewalt und messianische Hoffnung auf Sieg über alle Feinde und auf Einigung. Es wurde zu dem Behuf sogar ein deutscher Spezialgott erfunden, der, wie der jüdische Gott in den Gebeten, in allen patriotischen Hymnen figurierte. Hier wie dort Mißkennung von außen, Übelwollen, Eifersucht und Argwohn, heterogene Formungen innerhalb der Nation hier wie dort, Zwietracht der Stämme. Unvereinbare Gegensätze individueller Wesenszüge: praktische Regsamkeit und Träumerei; Gabe der Spekulation im niedern und im hohen Sinn; Spartrieb, Sammeltrieb, Handelstrieb, Bildungstrieb und Trieb zu erkennen und dem Gedanken zu dienen. Überfülle der Formeln und Mangel an Form. Ein seelisches Leben ohne Bindungen, das unversehens zur Hybris führt, zu Hoffahrt und Unbelehrbarem

Starrsinn. Hier wie dort schließlich das Dogma der Auserwähltheit.

Die Berührungen haben Schürfungen erzeugt, die Schürfungen blutende, eiternde Wunden. Im schwächeren Körper unheilbare Wunden.

Was werfen die Deutschen den Juden vor? Sie sagen: ihr vergiftet unsere reine Atmosphäre. Ihr verführt unsere unschuldige Jugend zu euern Taktiken und Praktiken. Ihr tragt in unsere germanisch-strahlende Weltanschauung euer trübes Grübeln, eure Verneinung, eure Zweifel, eure asiatische Sinnlichkeit. Ihr wollt unsern Geist in Fesseln schlagen und das arische Prinzip von der Erde vertilgen.

Darauf habe ich mit allem Vorhergehenden geantwortet, und wer dann jene Anschuldigungen noch aufrechterhält, dem wäre auch nicht gedient, wenn ich mit Engelszungen redete.

Andere sagen: ihr verderbt uns das Geschäft. Diese sind aufrichtig. Die Deutschen mögen sich erinnern, wie sie beim Beginn des Krieges, knirschend über die Heuchelei, die Ausbrüche sittlicher Entrüstung, die die Engländer vorbrachten, über sich ergehen lassen mußten. Wenn ihnen aber irgendein Engländer zurief: ihr verderbt uns das Geschäft, so begriffen sie das, obgleich der Vorwurf, gegen ein ganzes Volk gerichtet, um einen Krieg zu sanktionieren, sinnlos und unmenschlich ist.

Ein junger Freund erzählte mir folgende Geschichte: Er war in Polen im Haus eines armen Juden einquartiert, der drei Söhne hatte, einen elf-, einen dreizehn- und einen fünfzehnjährigen. Einmal ließ er sich mit ihnen in ein Gespräch ein, und er fragte einen jeden, was er werden wolle. Der Elfjährige sagte voll Eifer: Ich will was Großes werden; ein Millionär. Der zweite antwortete ernst: ich will ein Jude werden. Der dritte, der finster abseits stand und die Frage mehrmals geflissentlich überhörte, sagte endlich zu dem Bedränger: Erde will ich werden wie du.

Hier sind drei Kategorien jüdischer Menschheit in drei Repliken zusammengefaßt. Das Sonderbare und Schmerzliche ist, daß die Deutschen stets und von jeher nur die eine, die erste sehen, nur von ihr reden, nur gegen sie ihre Wut richten, was auch sonst die Vorwände und Verschleierungen sein mögen.

Sie lieben es, auf das Christentum hinzuweisen, als ob das Christentum wäre und mit Christentum zu entschuldigen, was sie wider alle humane Gepflogenheit tun. Rassentheorien, philosophische Systeme sogar, den Nachweis schließlich, den ein Ekstatiker des Hasses geführt hat, daß Christus von nichtsemitischer Abkunft sei, das alles lasse ich mir gefallen, damit kann man Oberflächliche blenden und den Janhagel betören. Aber das Christentum scheint mir in keiner Weise dazu geeignet. Sind es doch gerade die edlen Juden heute, die Allerstillsten freilich da und dort im Lande, in denen die christliche Idee und christliche Art in kristallener Reinheit ausgeprägt ist, ein Verwandlungsphänomen freilich, das in die Zukunft deutet.

24

Bei der Erkenntnis der Aussichtslosigkeit der Bemühung wird die Bitterkeit in der Brust zum tödlichen Krampf.

Es ist vergeblich, das Volk der Dichter und Denker im Namen seiner Dichter und Denker zu beschwören. Jedes Vorurteil, das man abgetan glaubt, bringt, wie Aas die Würmer, tausend neue zutage.

Es ist vergeblich, die rechte Wange hinzuhalten, wenn die linke geschlagen worden ist. Es macht sie nicht im mindesten bedenklich, es rührt sie nicht, es entwaffnet sie nicht: Sie schlagen auch die rechte.

Es ist vergeblich, in das tobsüchtige Geschrei Worte der Vernunft zu werfen. Sie sagen: was, er wagt es aufzumukken? Stopft ihm das Maul.

Es ist vergeblich, beispielschaffend zu wirken. Sie sagen: wir wissen nichts, wir haben nichts gesehen, wir haben nichts gehört.

Es ist vergeblich, die Verborgenheit zu suchen. Sie sagen: der Feigling, er verkriecht sich, sein schlechtes Gewissen treibt ihn dazu.

Es ist vergeblich, unter sie zu gehen und ihnen die Hand zu bieten. Sie sagen: was nimmt er sich heraus mit seiner jüdischen Aufdringlichkeit?

Es ist vergeblich, ihnen Treue zu halten, sei es als Mitkämpfer, sei es als Mitbürger. Sie sagen: er ist der Proteus, er kann eben alles.

Es ist vergeblich, ihnen zu helfen, Sklavenketten von den Gliedern zu streifen. Sie sagen: er wird seinen Profit schon dabei gemacht haben.

Es ist vergeblich, das Gift zu entgiften. Sie brauen frisches.

Es ist vergeblich, für sie zu leben und für sie zu sterben. Sie sagen: er ist ein Jude.

In den verzweifelten Tagen meiner Münchener Not hatte ich die wunderliche Gewohnheit, jeden Morgen zum Kirchhof zu wandern und die in der Leichenkammer zur Schau gestellten Toten zu betrachten. Ich wurde ihres Anblicks nicht müde. Die wächsernen Stirnen, Augen und Lippen sprachen zu mir; es kam mir vor, als seien es im Grunde lauter Gemordete, irgendwie durch Mißverständnis und überflüssige Leiden Gemordete. Sie erwachten mir bisweilen mysteriös und drängten sich in meine Träume. Wenn ich nicht mehr aus noch ein wußte, trieb mich die Sinnesverwirrung und -verfinsterung zu ihnen, und ich klagte die Lebendigen bei ihnen an.

So ist mir auch heute oft. Es ist mir, als wäre nur bei den Toten Gerechtigkeit zu finden gegen die Lebenden. Denn was diese tun, ist ganz und gar unerträglich.

Übrigens enthält dieses »die Deutschen« in seiner Wiederholung und Fixierung eine Absurdität. Ich kenne deutsches Leben genug, um zu wissen, was an der Oberfläche liegt und was in der Tiefe; was auf der Straße vorgeht und was im verschwiegenen Innern des eigentlichen Volkes. Ich kenne vor allem Deutsche genug, um nicht in Zweifel zu sein, wogegen die Mißbilligung und der heimliche Ekel der Besten unter ihnen sich kehrt. Freunde und Weggenossen weiß ich da wie dort; stolze Einsame; Tapfere, die gegen den Strom schwimmen; Künstler, Gelehrte, Aristokraten, Kaufleute; solche, mit denen mich gleiches Ziel und gleiches Wollen verbindet und solche, die mir einfach Liebe schenken; Unbekannte dann, die mich bisweilen grüßen, und auf die ich dennoch zählen kann; und weit, an der Peripherie des Kreises, viele, von denen ich nur, wie durch elektrische Wellen, den Ernst ihres Blickes und Wesens, die Beharrlichkeit in fruchtbringender Arbeit, die unzerstörbare Wirkung weiser und großer Gedanken, leuchtender und tiefer Werke spüre.

Diese sind mir »die Deutschen«. Es sind die Deutschen, zu denen ich mich rechne, und zu denen ich mich stelle.

Sie wissen es ihrerseits, und sie halten es für natürlich und selbstverständlich. Aber wenn ich mit meiner Qual, mit meiner Bitterkeit, mit meinem unentwirrbaren Problem, mit Hinweis, Frage, Sorge zu einem von ihnen komme, ich supponiere zum Edelsten, Bewährtesten, so faßt er doch nicht die ganze Tragweite des Unglücks und verschlimmert meine Ratlosigkeit nur durch Argumente, die kein Gewicht mehr für mich haben. Er meint mich trösten zu können, wenn er von der Ebbe- und Flutbewegung geistiger Seuchen spricht; er übersieht, daß ich mich darin, gerade darin als Arzt betrachte und die Erfolglosigkeit meiner Bemühung einer Unzulänglichkeit in mir zuschreiben muß. Er meint, daß die Wut der Lärmmacher und Schaumschläger nicht beweisgültig sei für die

Gemütsverfassung und sittliche Richtung der Nation; er übersieht aber die Zahl der Opfer; er übersieht die Beredsamkeit von furchtbaren Tatsachen; und er übersieht, daß es müßig ist, wenn ich mich als Gefangener in einem Raum voll Kohlenoxydgas befinde, mich damit zu beruhigen, daß morgen die Fenster geöffnet werden. Endlich fehlt ihm, sogar ihm, das Verständnis dafür, daß ich in allerletzter Linie mehr für die Deutschen als für die Juden leide.

Leidet man immer am meisten dort, wo man am tiefsten liebt, wenn auch am vergeblichsten?

Und er fragt wohl, durchdrungen von der Notwendigkeit der Wandlung, dennoch zaghaft: Was soll geschehen? Was soll Deutschland tun?

Ich vermag es nicht, ihm zu antworten, denn die Antwort liegt zu nahe, und ich schäme mich für ihn.

Wenn ich einen Fuhrmann sehe, der sein abgetriebenes Roß mit der Peitsche dermaßen mißhandelt, daß die Adern des Tieres springen und die Nerven zittern, und es fragt mich einer von den untätig, obschon mitleidig Herumstehenden: was soll geschehen? so sage ich ihm: reißt dem Wüterich vor allem die Peitsche aus der Hand.

Erwidert mir dann einer: der Gaul ist störrisch, der Gaul ist tückisch, der Gaul will bloß die Aufmerksamkeit auf sich lenken, es ist ein gutgenährter Gaul, und der Wagen ist mit Stroh beladen, so sage ich ihm: das können wir nachher untersuchen; vor allem reißt dem Wüterich die Peitsche aus der Hand.

Mehr kann Deutschland nach meiner Ansicht gewiß nicht tun. Aber es wäre viel. Es wäre genug.

26

Was sollen aber die Juden tun? Diese Frage ist schwieriger zu beantworten. Das Thema in seiner Unerschöpflichkeit spottet jeder Bemühung.

Opfer sind nicht zureichend. Werbung wird mißdeutet. Vermittlung stößt auf Kälte, wenn nicht auf Hohn. Überläufertum verbietet sich dem, der sich achtet, von selbst. Anpassung in Heimlichkeit führt zu einem Ergebnis nur für die, die zur Anpassung geeignet sind, also für die schwächsten Individuen. Beharrung in alter Form bedingt Erstarrung.

Was bleibt? Selbstvernichtung? Ein Leben in Dämmerung, Beklommenheit und Unfreude, zu schleppen nur für jene, die es auf pure Existenz und deren äußerliche Verbrämungen abgesehen haben, unfaßlich für die Erleuchteten oder Seelenhaften, die nur zu wählen haben zwischen grenzenloser Einsamkeit und aussichtslosem Kampf –?

Es ist besser, nicht daran zu denken.

Vielleicht aber gibt es doch eine Zukunft. Vielleicht gibt es eine Möglichkeit zu hoffen. Vielleicht gibt es einen Retter, Mensch oder Geist, hüben oder drüben, oder auf der Brücke dazwischen. Vielleicht hat er seine Wegbereiter schon vorausgesandt. Vielleicht darf ich mich als einen von ihnen betrachten.

Ich stehe, am Abstieg des fünften Jahrzehnts meines Lebens, in einem Ring von Gestalten, und sie wollen mich versichern, daß das Getane nicht umsonst getan sei. Ich bin Deutscher, und ich bin Jude, eines so sehr und so völlig wie das andere, keines ist vom anderen zu lösen. Ich spüre, daß dies in gewissem Sinn, wahrscheinlich durch das vollkommene Bewußtsein davon und die vollkommene Durchdringung mit den Elementen beider Sphären, orientalischer und abendländischer, ahnenhafter und wahlhafter, blutmäßiger und durch die Erde bedingter, ein neuer Vorgang ist. Dieses Neue hat mich in früherer Zeit oft beunruhigt, wohl deshalb, weil ich es nicht zu erkennen vermochte. Es ging ja nicht vom Willen aus; es ging vom Sein und Werden aus. Beunruhigend auch deshalb, weil beständig hüben und drüben Arme zu halten, zu wehren, Stimmen zu rufen, zu warnen da waren. Ich bin kein Mensch der steten Rechenschaftsablegung. Obgleich den einzelnen Menschen um mich her zu jeder Zeit verhaftet, ja ihnen verfallen, kann ich doch nur treiben, wozu es mich treibt. Und da ich allmählich vertrauen gelernt habe, daß es das Rechte war, wozu es mich trieb, ist auch einige Ruhe in mich eingekehrt.

In dem Bereich, in dem ich wirke, hängt alles davon ab, ob man die Menschen eröffnen, ergreifen und erhöhen kann. Nicht als ob ich selbst auf einer Höhe stünde, um nach Götterweise die Verlorenen heraufzuziehen. So ist es nicht. Der Eröffner und Ergreifer wird miterhöht um der Liebe willen. Daher glaube ich, daß im Abstand von den niedrigen Dingen das Geschwätz und der Geifer des Hasses und Unrechts ohnmächtig werden und die Missetaten sogar, die sie begehen, ihre Sühne finden.